글쓰기와
의사소통

김경태·최창근·최윤경 지음

보고사
BOGOSA

책머리에

한 사회를 유지하는데 가장 필요한 존재는 합리적이고 비판적인 정신을 가진 건강한 시민이다. 시민의식이 강하면 그 사회는 비교적 오래 건강함을 유지할 수 있다. 이때 합리성과 비판정신을 키우기 위해 필요한 것 중 하나가 바로 읽고 쓰는 능력이다. 그러나 최근 들어 읽고 쓰는 능력 즉 문해력이 과거와 비교해 크게 떨어지고 있다는 소식을 접하게 된다. 이는 아마도 과학기술과 미디어의 발달 때문이라고 할 수 있을 것이다. 자극적이고 흥미 위주의 영상이 넘쳐나면서 사람들이 독서로부터 점점 멀어지게 되었으며, 읽지 않으니 자연스럽게 쓰는 능력도 감소하고 있는 것이다.

읽고 쓰는 능력은 인류가 지식을 축적하고 다음 세대에 전달하는 중요한 수단 중 하나였다. 그런데 수학능력의 기본이 제대로 갖추어지지 않는다면 그 다음 단계의 전공 공부 역시 어려움을 겪을 수밖에 없다. 한국의 많은 대학이 글쓰기에 집중하는 것도 이러한 현상과 무관하지 않다.

독서는 단순히 문자를 소리내어 읽는 것으로 끝나지 않는다. 그 글의 일차적 의미는 물론이거니와 글의 숨은 의미와 그 전후 맥락을 포괄적으로 이해해야 올바른 읽기라 할 수 있다. 제대로 읽었다면 이에 대한 본인의 생각을 표현할 수 있어야 하며 이는 쓰기로 이어진다. 이러한 능력이 잘 발달되어야 건강한 시민으로 성장할 수 있는 것이다.

읽고 쓰는 능력이 부족한 사회는 자신의 문제를 파악하거나 이에 대한 대안을 제시하는 능력도 부족할 것이다. 이는 사회문제를 더 심화시키고 상처를 곪게 만든다. 과학기술의 급속한 발전과 사회환경의 변화로 앞으로 우리 사회는 더욱 많은 문제들을 접하게 될 것이다. 새로운 문제들에 신속하게 대응하고 사회의 지속 가능성을 높이기 위해서도 읽고 쓰는 능력을 키우는 것이 중요하다.

이 교재는 대학생의 문해력을 키우고 자신의 생각을 글로 표현하는 훈련을 하기 위해 만들어졌다. 학생들의 입장에서 흥미를 가질 수 있도록 다양한 글쓰기 주제를 선정했으며 실습을 위주로 구성했다. 전반부는 기본적인 읽고 쓰기 훈련으로 구성했고 후반부는 다양한 심화주제를 바탕으로 사회문제에 대한 비판적 관점과 주체적 시각을 기를 수 있도록 만들었다.

이 책이 나오기까지 도움을 주신 분들에게 진심으로 감사를 드리며 우리 사회의 유능한 인재로 성장할 대학생들에게 조금이나마 보탬이 되기를 바란다.

2024년 2월
저자 일동

차례

제1장
글쓰기란 무엇인가?

※ **학습목표**

1. 글쓰기의 특징과 목적 및 필요성을 이해한다.
2. 현대사회에서 읽기의 중요성과 컨텍스트적 읽기의 필요성을 이해한다.
3. 글쓰기의 윤리에 대해 이해한다.

인간이 혼자서 살아갈 수 있는가? 하루하루를 버티어나갈 수는 있겠지만 삶의 의미와 행복을 찾기는 어려울 것이다. 자신의 속한 공동체 속에서 구성원들과 함께 때로 울고 때로 웃으면서 살아가는 존재가 바로 인간이다. 여기에서 관건은 소통이다. 이제까지 인류가 이룬 성취는 인간의 의사소통 능력에 기초를 두고 있다. 인간은 다른 사람과 서로 소통하며 살아가는 가운데 삶을 보다 나은 방향으로 이끌어 올 수 있었던 것이다.

우리는 크게는 지구라는 공동체 속에서 작게는 가족이나 이웃이 있는 소규모 공동체 속에서 살고 있다. 인간은 이러한 공동체 속에서 다른 사람들과 어떻게 소통하는가? 우리는 주로 말하기와 글쓰기를 통해서 다른 사람과 필요한 정보를 공유하며 서로의 생각을 주고받는다. 말하기는 음성 언어를, 글쓰기는 문자 언어를 중심으로 이루어진다.

여기에서 말하기와 글쓰기의 공통분모가 언어라는 사실이 중요하다. 유발하라리는 호모 사피엔스가 다른 동물보다 우위를 차지한 것은 언어 사용 능력 덕분이라고 한다. 하라리가 말하듯 언어를 사용할 수 있는 특별한 능력을 갖지 못했다면 인간은 지금까지 존속하기가 어려웠을지도 모르는 것이다.

물론 인간이 아닌 동물 역시 다른 동물들과 생각을 주고받는다고 한다. 개미가 혼자 기어가다가 빵부스러기를 발견하게 되면 곧바로 다른 개미들이 와서 빵부스러기를 함께 나르지 않는가. 개미들도 메시지를 주고받는 방법이 있는 것이다. 그런가 하면 초식동물이 육식동물로부터 위협을 받을 때 울음소리처럼 소리로 위험 신호를 주고받는다고 한다. 그런데 동물의 소리는 먹이를 나를 때 협력하거나 위험 신호 보내기 그 이상을 넘어서지는 못한다는 것이 동물학자들의 대체적인 의견이다.

인류사가 시작될 때부터 인간이 언어를 사용했던 것은 아니다. 원시 시대에는 다른 동물들과 마찬가지로 울음과 비명, 웃음처럼 인간의 본능으로 나오는 소리를 내는 데 그쳤다. 그런데 약 7만 년 전에서 3만 년 전 인류의 언어 사용 능력에서 인지혁명이 일어난 것이다. 도대체 인간의 특별한 언어 능력은 어디에서 비롯된 것인가? 여기에 대해 호모 사피엔스의 언어의 특이성이 세상에 대한 지배로 이어졌다고 하는 유발 하라리의 이야기를 들어보자.

■ '강변에 사자가 있다'
녹색 원숭이는 여러 울음소리로 다른 동료들에게 위험을 경고한다. 동물학자들은 그중 한 울음소리의 뜻이 "조심해! 독수리야!"라는 것을 밝혀냈다. 조금 다른 경고 소리는 "조심해! 사자야!"라는 뜻이었다. 과학자들이 원숭이들에게 처음의 소리를 녹음해 들려주었더니 모두 하던 일을 멈추고 공포에 질려 하늘을 올려다보았고, 두 번째 소리를 들려주었더니 다들 급히 나무 위로 피신했다. 이렇듯 녹색 원숭이는 동료들에게 "조심해! 사자야!"라고 외칠 수 있다. 그런데 현대 여성은 친구에게 이렇게 말할 수 있다. "오늘 아침 강변이 굽이치는 곳 부근에 한 무리의 들소를 쫓는 사자 한 마리를 보았어." 이어서 그녀는 정확한 위치와 그곳까지 가는 여러 길들까지 묘사할 수 있다. 이 정보를 두고 그녀의 무리는 강에 접근해서 사자를 쫓아버리고 들소를 사냥할 것인지에 대해 머리를 맞대고 논의할 수도 있다.

■ 뒷담화

호모 사피엔스는 무엇보다 사회적 동물이다. 사회적 협력은 우리의 생존이나 번식에 핵심적 역할을 한다. 개별 남성이나 여성이 사자와 들소의 위치를 아는 것만으로는 충분치 않다. 그보다도 무리 안의 누가 누구를 미워하는지, 누가 정직하고 누가 속이는지를 아는 것이 훨씬 중요하다. 사람들과의 관계에서 소문을 공유하는 것, 즉 뒷담화가 중요한 것이다. 뒷담화는 악의적인 능력이지만 많은 숫자가 모여 협동을 하려면 사실상 반드시 필요하다. 누가 신뢰할 만한 사람인지에 대한 믿을 만한 정보가 있으면 작은 무리는 더 큰 무리로 확대될 수 있다. 역사학 교수들이 함께 점심을 먹을 때 제1차 세계대전의 원인에 대해 대화할 것 같은가? 핵물리학자들이 휴식시간에 쿼크에 대한 과학적 대화를 나눌 것 같은가? 물론 그럴 때도 있지만 대개는 학과장과 학장 사이의 불화, 동료 중 하나가 연구기금으로 렉서스 자동차를 샀다는 루머 등을 소재로 한 뒷담화를 떠든다. 소문은 주로 나쁜 행동에 초점을 맞춘다. 언론인은 원래 소문을 퍼뜨리는 사람이었다. 누가 사기꾼이고 누가 무임승차인지를 사회에 알려서 사회를 이들로부터 보호하는 이들이 언론인이다.

■ 허구를 말할 수 있는 능력

사피엔스가 사용하는 언어의 특이성은 사람이나 사자에 대한 정보를 전달하는 능력에 있는 것이 아니다. 그보다는 전혀 존재하지 않는 것에 대해 정보를 전달하는 능력에 있다. 지금까지 우리가 아는 한, 직접 보거나 만지지 않고 냄새도 맡지 않은 것에 대해서 얼마든지 이야기할 수 있는 존재는 사피엔스뿐이다. 녹색원숭이가 "조심해! 사자야!"하며 위험을 경고할 수 있다면, 호모 사피엔스는 "사자는 우리 종족의 수호령이다."라고 말하는, 즉 허구를 말할 수 있는 능력을 갖고 있다. 이것이 바로 사피엔스의 독특한 언어 사용 능력이다. 허구를 말할 수 있는 능력 덕분에 인간은 개별적인 상상을 넘어서 집단적으로 상상할 수 있게 되었다. 성경의 창세기, 호주 원주민의 드림타임 신화, 현대 국가의 민족주의 신화와 같은 공통의 신화를 만들어낸 것이다.

호모 사피엔스는 신화들 덕분에 보다 많이 모여서 협력하는 유례없는 능력을 가질 수 있었다. 물론 개미나 벌 역시 많은 수가 모여서 함께 일한다. 하지만 이들은 가까운 친척들하고만 함께 일하며 그 일하는 방식이 경직되어 있다. 늑대와 침팬지가 협력해서 일하는 방식은 개미보다는 훨씬 더 유연하다. 그런데 협동 상대가 긴밀하게 지내는 소수의 개체들뿐이다. 사피엔스만이 수없이 많은 이방인들과 매우 유연하게 협력할 수 있다. 개미는 인간이 남긴 것을 먹고 침팬지는 동물원이나 실험실에 갇혀 있는 데 비해 사피엔스가 세상을 지배하는 이유가 바로 여기에 있다.[1]

유발 하라리는 현생 인류인 호모 사피엔스가 세상에서 우위에 서게 된 이력을 이렇게 정리한다. 인간은 언어를 사용해서 동물의 울음소리와 같은 단순한 차원을 넘어서 어떤 상황에 대해서 묘사할 수 있다는 것, 소문을 공유하고 무리를 확대하며 공동의 신화를 상상하는 것, 이로써 유례없는 협력관계를 이루어 세상을 지배하게 되었다는 것이다.

인간은 일상에서 제한적인 소리와 기호를 조합해서 단어를 만들고 단어와 단어를 연결에서 문장을 만들어서 의미를 부여할 수 있다. 이것이 하라리가 특별히 강조하는 인간의 언어 사용의 특이성이다. 인간은 언어를 사용해서 정보를 받아들이고 다른 사람과 소통하며 필요에 따라 기록을 남기는 것이다. 우주의 빅뱅 이후, 지구라는 행성에서 생물이 탄생하고 인지혁명

---

1 유발 하라리, 조현욱 옮김, 『사피엔스』, 김영사, 57~61쪽.

을 거치면서 이전과 다른 사고방식과 의사소통 방식이 출현했다. 여기에서 현재까지 생존과 번식의 측면에서 호모 사피엔스가 우위를 차지해 온 까닭을 찾는 것이다.

우리가 인간의 언어 사용에 대해서 이야기하면서 빼놓을 수 없는 것이 '바벨탑 신화'이다. 성서에서 구약의 백성들이 바벨탑을 통해 하늘에 닿으려고 하자 신은 인간의 교만과 타락에 대해 언어의 혼란이라는 형벌을 내린다. 정용준은 그의 소설에서 인간의 말이 인류의 재앙이 된 바벨 시대를 상상한다.[2] 현실에서 일어나서는 안 되는 재난으로 인간이 말을 할 수 없는 상황을 문학적 상상력으로 표현한 것이다. 그런데 작가의 상상이 아니라 실제로 인류가 그러한 상황에 봉착하게 된다면 어떻게 될까? 우리가 언어를 사용할 수 없는 세상에서 살아갈 수 있을지 상상하기 쉽지 않다. 이제 언어 사용 능력은 인간에게 필수불가결한 것이 되었다고 해야 할 것이다.

인간의 언어 사용은 크게 말하기와 글쓰기로 나눌 수 있다. 그 가운데 먼저 말하기는 화자와 청자가 같은 상황에서 말의 억양이나 몸짓, 얼굴 표정 등의 보조적인 도움을 받을 수 있어서 비교적 소통하기가 쉽다. 그런데 글쓰기는 주로 문자 사용에 의존하며 독자의 반응을 즉각적으로 알기 어렵다는 점에서 말하기에 비해 상대적으로 제약이 따른다. 따라서 글쓴이는 글을 쓸 때 독자가 쉽게 이해할 수 있도록 노력해야 하는 것이다. 그러한 글쓰기는 글 읽기와 떼려야 뗄 수 없는 관계에 있다. 이 장에서는 글을 읽고 쓰는 것이 우리에게 왜 중요한지에 대해서 함께 생각해 보자.

---

2 정용준, 『바벨』, 문학과지성사, 2014.

1. 글 읽기의 중요성

우리는 누구나 글을 잘 쓰기를 원할 것이다. 그리고 우리가 쓴 글을 다른 사람이 좋은 글이라고 평가해 주기를 바랄 것이다. 그런데 사실 글을 쓰는 일은 쉽지 않고 좋은 글을 쓰기란 더더구나 어렵다. 작가 최명희는 자신이 글쓰기에 대해서 이렇게 말한다.

> 웬일인지 나는 원고를 쓸 때면, 손가락으로 바위를 뚫어 글씨를 새기는 것만 같은 생각이 든다. 날렵한 끌이나 기능 좋은 쇠붙이를 가지지 못한 나는 그저 온 마음을 사무치게 갈아서 손끝에 모으고 생애를 기울여 한 마디, 한 마디 파가는 것이다.[3]

최명희는 손가락으로 바위를 뚫어서 새기는 것처럼 글을 쓸 때 고통스럽다고 말하고 있다. 일기처럼 개인의 내밀한 이야기를 털어놓은 글쓰기를 제외한 대부분의 글은 불특정 다수의 독자를 상정하며 쓰게 된다. 그런데 최명희는 그렇듯 고통스럽게 쓴 글을 단 한 사람이라도 읽어주면 그것으로 만족하다고 말한다. 작가 최명희만큼은 아니더라도 우리가 글을 쓰는 데에는 어느 정도 고통이 따른다. 거기에다 다른 사람이 우리의 글을 읽는다고 생각했을 때 생기는 두려움을 떨쳐내기가 쉽지 않다. 우리는 작가 혹은 직업적으로 글을 쓰는 사람들을 특별하게 대우하며 글을 쓰는 데 타고난 재능이 필요하다고 생각하지 않는가.

실제로 우리가 글을 쓰는 데에는 어느 정도의 재능이 필요하다는 것이 사

---

3 최명희, 『혼불』, 한길사, 1996.

실이기도 할 것이다. 그렇다면 글쓰기에 특별한 재능을 타고나지 않은 사람은 글을 쓸 수 없는가? 글쓰기에 재능이 없다면 글을 쓰지 않아도 되는가? 그럴 리가 있겠는가. 우리는 글을 쓰는데 남다른 재능을 타고 나지 않더라도 얼마든지 글을 잘 쓸 수 있는 것이다. 그럼에도 불구하고 글쓰기 앞에서 움추려든다면 그 이유가 무엇인지 진단이 필요할 것이다. 고미숙은 그의 책에서 이렇게 말한다.

> 쓰는 것과 읽는 것은 분리되지 않는다. 읽지는 않고 쓰기만 하는 사람은 없다. 읽었으니 쓰고, 쓰려면 읽어야 한다. 그건 마치 영화를 보지도 않으면서 영화를 만들겠다는 것이나 음악을 잘 듣지도 않으면서 작곡을 하겠다는 것이나 마찬가지다. 쓰기와 읽기는 둘이 아니다.[4]

우리가 어떤 것에 대해 어렵다고 느끼고 그 일을 하는 것에 대해 두려움을 가질 수 있다. 여기에서 어렵다고 느끼고 두려움을 갖는 대상에 대해 잘 모른다는 데서 문제가 시작될 수 있다는 것이다. 우리는 다른 사람이 쓴 글을 읽고 새로운 지식을 얻으면서 동시에 글을 쓰는 원리와 방법을 익히게 된다. 다른 사람이 쓴 글을 읽으면서 글을 쓴다는 것에 대한 부담감과 어려움을 떨쳐낼 수 있다. 이로써 우리가 글을 잘 쓰고 좋은 글을 쓰기 위해서는 다른 사람이 쓴 글 읽기의 중요성을 강조하게 되는 것이다.

요즘 우리는 인터넷이 주류 매체들보다 영향력을 행사하는 가운데 정보폭발이라고 부를 정도로 정보의 홍수 속에서 살고 있다. 그런데 한편으로는 넘쳐나는 정보 속에서 적잖은 '디지털 문맹' 혹은 '실질적인 문맹'에 빠져있는

---

4 고미숙, 『읽고 쓴다는 것, 그 거룩함과 통쾌함에 대하여』, 북드라망, 2020, 4~5쪽.

것도 우리의 현실이다. IT 접목에 어려움을 겪고 있는 시니어 세대들, 글을 읽고 이해하는 능력이 떨어지는 성인 혹은 아이들이 상당수 존재하는 것이다.

우리가 어떤 글을 읽을 때 해석이 필요한 정보를 담고 있는 것을 텍스트(Text)라고 한다. 텍스트를 해석한다는 것은 텍스트를 이해하고 텍스트의 한계와 오류를 찾아내는 것은 물론이고 텍스트를 새롭게 '해석'하는 작업을 포함한다. 여기에서 텍스트를 새롭게 해석하기 위해서 컨텍스트(Context), 즉 텍스트가 이야기한 바를 해석하는 데 필요한 것을 함께 이해해야 한다. 글쓰기는 텍스트에 대한 읽기와 분석, 글쓴이의 사고와 표현이 결합되어 있어 우리의 생각을 가장 깊이 있고 오해 없이 전달할 수 있는 매체이다.

우리가 어떤 글을 읽는다는 것, 해석한다는 것은 땅덩어리를 절단하여 나름의 절단면을 만들어내는 것과 같다. 퇴적층이 복합적일 때 절단면 역시 다르게 나타날 것이다. 세종대왕은 어렸을 때 백독백습(百讀百習)의 독서법을 즐겼다고 한다. 백 번 읽고 백 번을 익혔다는 이 말은 책을 읽을 때마다 새로운 무엇인가를 느꼈다는 뜻을 담고 있다. 좋은 글이란 읽을 때 그 글을 읽는 사람의 감각이나 사유의 경로에 따라 다른 생명력으로 다가갈 것이다.

현대를 살아가는 사람들 대부분은 낯선 곳을 찾아갈 때 주로 네비게이션 기기에 의존하게 된다. 그러다 보니 공간에 대한 지각능력이 현저히 떨어진다고 한다. 마찬가지로 디지털 정보에 지나치게 집중하게 되면 글을 읽고 이해하는 능력이 떨어질 수밖에 없다. 이에 대해 프랑스 철학자 장 보드리야르(Jean Baudrillard)는 "현대인은 읽을 수 있으나 읽지 않는 제2문맹인이다."라고 말한다. 다산 정약용도 "책을 읽을 때 그냥 눈으로만 읽는 것은 천 권의 책을 읽을지라도 오히려 읽지 않은 것과 같다."고 했다. 일찍이 다산은 후손들의 문해력을 우려했던 것일까?

우리는 영화를 볼 때 쇼트(Shot)들이 빠르게 전환되는 신(scene)의 흐름을 좇게 된다. 그렇듯 신의 흐름을 따라가다 보면 영화 한 편에 대한 전체 서사를 어렵지 않게 이해할 수 있다. 그런데 글을 읽을 때에는 눈으로 문자 언어를 읽어가면서 머릿속으로 이미지를 떠올려야 한다. 한 편의 소설은 독자가 적극적으로 읽기에 참여할 때 그 끝에서 하나의 서사가 꿰어지는 것이다. 현대 소설에서 서사는 작가가 아니라 그 작품을 읽는 독자가 완성하는 것이기 때문이다. 소설뿐만 아니라 우리는 글을 읽을 때 적극적인 '읽기'를 수행해야 한다. 컴퓨터 윈도우즈 운영체제를 개발한 빌 게이츠(Bill Gates)는 "나의 상상력과 창의력의 원천은 책이다."라고 말했다. 우리는 현재 사람과 사물과 사건이 실시간으로 연결되는 사물인터넷 시대를 살고 있다. 여느 때보다 창의성을 요구받고 있는 이때 글 읽기의 중요성은 거듭 강조해도 지나치지 않을 것이다.

2. 글쓰기의 중요성

글은 누가 쓰는가? 작가나 직업적으로 글을 쓰는 사람이 아니라면 굳이 글을 쓰지 않아도 되지 않을까? 현대를 살아가는 사람들 대부분은 스마트폰을 사용하고 있으며 하루에도 수십 번 카카오톡(Kakao Talk)을 통해서 메시지를 주고받고 소셜네트워크(SNS)를 통해서도 메시지는 물론 정보를 교환한다. 우리는 일상생활에서 행위로서 글쓰기를 의식하지 않더라도 모바일 서비스나 인터넷 네트워크 등을 통해서 하루에도 많게는 수십 번 글을 쓰고 있다.

우리는 왜 글을 쓰는가? 이러한 물음에 대한 대답은 각양각색으로 돌아올 것이다. 흔히 글쓰기를 우리의 체험과 사색을 기록하는 일이라고 말한다. 여기에서 '우리'를 좁게 말하면 개별적인 사람들의 집합에 해당하고 넓혀서 말하면 사회와 국가에 해당할 것이다. 여기에서 조금 더 넓히면 '세계'

가 될 것이다. 개개인의 삶의 경험, 한 국가가 지나온 역사, 세계사가 글이라는 형식을 통해서 남겨질 수 있는 것이다.

사람들 개개인은 어느 날 갑자기 생긴 것이 아니며 과거의 집적물이나 다를 바 없다. 우선 태어나서 현재까지 성장해온 몸과 지나온 시간에 대한 기억의 총합이 '나'인 것이다. 우리가 자신들의 과거를 기억하지 못한다면 정체성에 대혼란이 일어날 것이다. 그런 점에서 개인이든지 국가든지 세계의 어떤 단위이든지 과거를 기억하고 보존한다는 것은 중요한 일이다. 그런데 문제는 우리에게는 과거를 기억할 수 있는 뇌의 용량이 한정되어 있다는 것이다. 이때 글이 한정된 뇌의 기능을 보조하는 역할을 대신할 수 있다.

이렇듯 글쓰기는 우리의 일상이며 과거를 기록하는 데 우리의 한정된 뇌의 기능을 글이 대신한다는 사실에서 중요하다. 그렇다면 이것으로 글쓰기의 중요성에 대해 말하는 것이 충분할까? 자신이 왜 글을 쓰는가에 대해 조지 오웰은 작가로서 이렇게 말한다.

나는 생계 때문인 경우를 제외한다면, 글을 쓰는 동기는 크게 네 가지라고 생각한다. …

1. 순전한 이기심. 똑똑해 보이고 싶은, 사람들의 이야깃거리가 되고 싶은, 사후에 기억되고 싶은, 어린 시절 자신을 푸대접한 어른들에게 앙갚음을 하고 싶은 등등의 욕구를 말한다. 이게 동기가 아닌 척, 그것도 강력한 동기가 아닌 척하는 건 허위다. 작가의 이런 특성은 과학자, 예술가, 정치인, 법조인, 군인, 성공한 사업가 등, 요컨대 최상층에 있는 모든 인간에게 공통되는 특성이다. 사람들 절대다수는 그다지 이기적이지 않다. 대부분 사람들은 나이 서른 남짓이 되면 개인적인 야심을 버리고(많은 경우 자신이 한 개인이라는 자각조차 거의 버리는 게 보통이다.) 주로 남을 위해 살거나 고역에 시달리며 겨우겨우 살 뿐이다. 그런가 하면 소수지만 끝까지 자기 삶을 살아보겠다는 재능 있고 고집 있는 사람들도 있으

니, 작가는 이 부류에 속한다. 나는 적어도 작가들이 대체로 언론인에 비해 돈에는 관심이 적어도 더 허영심이 많고 자기중심적이라고 생각한다.

2. 미학적 열정. 외부 세계의 아름다움에 대한, 또는 낱말과 그것의 적절한 배열이 갖는 묘미에 대한 인식을 말한다. 어떤 소리가 다른 소리에 끼치는 영향, 훌륭한 산문의 견고함, 훌륭한 이야기의 리듬에서 찾는 기쁨이기도 하다. 자신이 체감한 바를 나누고자 하는 욕구는 소중하여 차마 놓치고 싶지가 않다. 미학적 동기가 상당히 약한 작가들도 많긴 하지만, 팜플렛이나 교과서를 쓰는 저자라 해도 비실용적이지만 매력과 애정을 느끼는 낱말들과 문구가 있을 것이다. 그게 아니어도 글꼴이나 여백 같은 것들에 상당한 매력을 느끼는 수가 있다. 철도 안내책자 수준을 넘어선다면, 어떤 책도 미학적인 고려로부터 딱히 자유롭지 않은 것이다.

3. 역사적 충동. 사물을 있는 그대로 보고, 진실을 알아내고, 그것을 후세를 위해 보존해두려는 욕구를 말한다.

4. 정치적 목적. 여기서 '정치적'이라는 말은 가장 광범위한 의미로 사용되었다. 이 동기는 세상을 특정 방향으로 밀고 가려는, 어떤 사회를 지향하며 분투해야 하는지에 대한 남들의 생각을 바꾸려는 욕구를 말한다. …

(…중략…)[5]

책을 쓴다는 것은 고통스러운 병을 오래 앓는 것처럼 끔찍하고 힘겨운 싸움이다. 거역할 수도 이해할 수도 없는 어떤 귀신에게 끌려다니지 않는 한 절대 할 수 없는 작업이다. 아마 그 귀신은 아기가 관심을 가져달라고 마구 울어대는 것과 다를 바 없는 본능일 것이다. 그런가 하면 자기만의 개별성을 지우려는 노력을 부단히 하지 않는다면 읽을 만한 글을 절대로 쓸 수 없다는 것도 사실이다. 좋은 산문은 유리창과 같다. 나는 내가 글을 쓰는 동기들 중에 어떤 게 가장 강한 것이라고 확실히 말할 수 없다. 하지만 어떤 게 가장 따를 만한 것인지는 안다. 내 작업들을 돌이켜보건대 내가 맥없는 책들을 쓰고, 현란한 구절이나 의미 없는 문장이나 장식적인 형용사나 허튼소리에 현혹되었을 때는 어김없이 '정치적' 목적이 결여되어 있던 때였다.[5]

---

5   조지 오웰, 이한종 옮김, 『나는 왜 쓰는가』, 한겨레출판, 2010, 300쪽.

조지 오웰에게 글[책]을 쓴다는 것은 본능처럼 몸이 알아서 하는 일이며 자신을 비워야 하는 고통스러운 작업이었다는 것을 알 수 있다. 조지 오웰은 작가들이 글을 쓰는 이유를 재능과 고집이 있는 사람들이 자기 삶을 살겠다는 순전한 이기심, 세계에 대한 아름다움을 적절한 단어로 표현하고자 하는 미학적 열정, 후손을 위해 어떤 진실을 보존하려는 역사적 충동, 어떤 사회가 나아갈 방향에 대한 정치적 목적 등에서 찾고 있다. 그런데 그러한 네 가지 동기들 가운데 오웰은 자신이 정치적 목적이 부족한 상태에서 쓴 글들이 만족스럽지 못하다고 말하고 있다. 조지 오웰에게 글쓰기란 작가로서 자신이 살고 있는 시대에 대한 정치적 지향의 표현이었던 것이다.

그런가 하면 발터 벤야민(Walter Benjamin)은 "글쓰기는 사유를 표현하는 것이 아니다. 글쓰기는 사유를 창출한다."라고 말했다. 그렇다면 우리는 언제 사유하는가? 우리는 가끔 어떤 돈을 많이 가진 사람이 먹고 살기 힘든 이들을 위해 기부를 했다는 사례를 듣게 된다. 그리고 돈을 기부한 이 사람에 대해 착하고 선량한 부자라고 판단한다. 이럴 때 우리는 사유하는가? 이때는 사유가 아니라 상식과 통념에 따라 그렇게 생각하기 쉽다. 우리는 또 가끔 노점에서 떡볶이 장사를 하는 할머니가 많은 액수의 돈을 가난한 사람을 위해 써달라고 기부했다고 하는 사례를 듣게 된다. 이 경우 우리는 힘들게 번 돈을 기부한 저 할머니는 어떤 사람이지? 하고 깊이 들여다보게 된다. 이때부터 우리는 사유하기 시작한다. 우리의 상식과 통념처럼 익숙한 관념이나 지식으로 해결할 수 없는 어떤 문제와 대면할 때 진정한 사유는 시작되는 것이다. 이렇듯 벤야민은 글쓰기를 사유의 과정, 즉 인간의 삶에 대해 진실을 탐색하는 도정으로 파악했다.

미래 사회는 범학문적 사고능력을 장착한 융·복합적 인재가 될 것을 요구하고 있다. 여기서 융·복합적 인재란 인문학과 자연과학 등 서로 다른 분과 학문 간의 학제적 융합을 통해 창의적인 문제 해결 능력을 갖춘 사람을 말한다. 미래 사회를 살아가는 데에 문제를 스스로 발견하고 그것에 대한 새로운 해결책을 사회구성원들에게 제시할 수 있는 역량이 요구된다. 그러한 융·복합적 학문의 가장 기초적인 학습을 매개하는 것으로 글쓰기의 중요성을 강조하고 있다.

글쓰기는 인문, 과학, 기술, 예술 등 세분된 학문들을 결합하고 응용함으로써 새로운 분야를 창출한다. 대부분의 대학에서 글쓰기 교육을 강조하고 있는 까닭이 여기에 있다. 일반적 혹은 문학적 글쓰기에서 글쓴이의 개성이 살아있으면서 독자의 공감을 불러일으키는 글에 목표를 둔다면 대학 글쓰기는 일정한 형식과 요건을 갖추는 것이 중요하다. 자신이 속한 전공 분야에서 학술적 필요 혹은 업무의 연장에 따라 글을 작성할 수 있다.

우리는 대학이라는 학문공동체에 속한 만큼 글쓰기가 어렵다고 해서 피해 갈 수 없을 것이다. 그럼에도 불구하고 글쓰기에 대한 두려움을 떨치지 못한다면 나탈리 골드버그의 다음 글에서 용기를 얻어 보자.

> 선禪에 다음과 같은 말이 있다.
> "말할 때는 오로지 말 속으로 들어가라. 걸을 때는 걷는 그 자체가 되어라. 죽을 때는 죽음이 되어라. 그러므로 글을 쓸 때는 쓰기만 하라. 열등감과 자책감으로 중무장한 채 자신과 피 흘리는 싸움은 하지 말라."[6]

---

6 나탈리 골드버그, 권경희 옮김, 『뼛속까지 내려가서 써라』, 한문화, 2018.

3. 글쓰기의 윤리

우리는 누구나 혼자서 살아갈 수 없다. 자신이 속한 공동체 속에서 다른 사람들과 기쁜 일과 슬픈 일을 함께 하면서 삶을 유지할 수 있는 것이다. 그래서 우리가 다른 사람과 함께 살아가기 위해서 어떤 일을 해야 하고 또 어떤 일은 하지 않아야 하는지 정하고 이를 암묵적으로 지키게 된다. 저마다의 공동체 속에서 나름의 질서가 만들어지는 것이다. 만약 사회구성원으로서 그 질서를 무시한다면 공동체는 혼란에 빠지게 될 것이다. 이렇듯 어떤 사회 혹은 집단을 유지하기 위해서 구성원들이 질서를 지키는 것을 우리는 '윤리'라고 한다. 이러한 윤리는 우리가 글을 쓸 때에도 반드시 필요하다.

글쓰기는 창조적인 행위이다. 산모는 열 달 동안 아기를 뱃속에 품고 있다가 산고를 치르며 출산하게 된다. 우리가 한 편의 글을 쓰는 과정도 마찬가지다. 글의 주제를 정하고, 관련된 자료를 찾고, 초고를 작성하고, 고쳐 쓰기의 과정을 거쳐서 마침내 한 편의 글을 완성하게 되는 것이다. 산모가 열 달여의 시간 동안 산고를 치르며 아이를 맞이하듯이 한 편의 글 역시 지난하고 고통스러운 과정의 산물이다. 이로써 대부분의 국가에서 어떤 개인 혹은 단체가 발표한 글에 대해서 저작권법이라는 보호 장치를 마련하고 있다. 우리 나라의 법령에도 저작자가 자신의 저작물에 대해 가지는 배타적인 법적 권리를 인정하는 저작권법[법률 제18547호] 규정이 있다. 그 내용을 살펴보면 저작자는 자신의 저작물을 독점적으로 이용하고 다른 사람이 사용할 수 있도록 하는 인격적·재산적 권리를 갖는다. 이를 테면 저작물을 복제·번역·상연·상영·전시·방송·대여할 수 있으며 저작자가 죽은 뒤에도 50년간 권리를 보장하는 것이다.

글을 쓰면서 다른 사람의 글을 사용할 때에는 인용한 정보에 대해서 반드시 출처를 표기해야 한다. 다른 사람의 글이나 생각 등을 글쓴이의 필요에 따라 그대로 혹은 가공하여 이용하면서 원 출처를 밝히지 않는다면 표절(剽竊)에 해당한다. 글쓰기에서 이러한 표절 행위는 우리가 다른 사람의 물건을 훔치는 것이나 다름없다. 그런데 정보통신 기술의 시대, 인터넷을 통한 정보와 기술에 대한 교환이 증가하면서 다른 사람이 쓴 글을 자신이 쓴 것처럼 도용하는 문제가 심각한 상황에 이르렀다. 대학이나 연구소에서 다른 연구자의 논문을 표절해 학문적 정직성 혹은 글쓰기의 윤리를 거스르는 일들이 자주 일어나고 있는 것이다.

그렇다면 우리가 글을 쓸 때 어떻게 하면 표절을 피할 수 있을까? 사람들이 대체적으로 상식으로 알고 있는 정보라면 출처 표기를 할 필요가 없다. 이 외에 다른 사람의 글에 있는 정보를 자신의 글에서 사용할 경우 적절한 방식으로 활용[인용]해야 한다. 학문공동체에 따라 인용한 자료에 대해 출처를 표기하는 방식이 다르므로 자신이 속한 학문공동체에서 통용되는 출처 표기법을 미리 익힐 필요가 있다.

출처 표기에서 다른 사람의 글은 올바르게 인용해야 한다. 우선 인용[引用, Citation]에는 직접 인용과 간접 인용의 두 가지 방식이 있다. 먼저 직접 인용은 원전의 내용과 표현을 그대로 옮겨오는 방식이다. 이때 해당 대목을 큰따옴표(" ")로 묶어 표시하고 원 자료에 대한 서지정보를 밝혀야 한다. 이러한 직접 인용은 원문을 다른 단어로 바꾸면 의미가 달라지거나 원문 그 자체에 주목할 필요가 있을 때 주로 활용한다. 다음으로 간접 인용은 원전의 내용을 글쓴이가 이해한 대로 바꾸어 표현하는 방식이다. 간접 인용의 경우 역시 원 자료에 대한 서지 정보를 밝혀야 한다. 이러한 간접 인용은 다른 사람의 글을 글쓴이가 자신의 글에 맞게 가져오는 방법이다. 인용하고자 하는 내용이 많은 분량을 차지할 때 혹은 글의 맥락에 맞게 바꿔 써야 할 때 주로 간접 인용의 방식을 사용한다.

다른 사람이 쓴 글을 자신의 글에서 직접 혹은 간접 인용의 방식으로 밝힌 다음에는 인용한 자료에 대해 서지사항을 표시하기 위해 주석(註釋, annotation)을 작성해야 한다. 주석은 서지사항을 표기하는 위치에 따라 각주[각 쪽의 하단], 미주[글의 끝], 내주[글의 본문 안]로 구분한다.

자신이 인용했거나 연구 과정에서 참고한 자료에 대한 서지사항은 본문에서 주석을 달고 글 마지막 부분에 참고문헌 목록으로 제시한다. 이때 유의해야 할 사항은 한 편의 글에서 출전 표기와 참고문헌의 형식이 통일되어야 한다는 것이다.

컴퓨터의 활용이 중요시되면서 인터넷 윤리가 점점 강조되고 있다. 우리가 인터넷 사이트에 게시된 글을 활용하고자 한다면 그 글이 신뢰할 수 있는 내용인지 신중하게 판단해야 한다. 인터넷에 게시된 정보를 활용할 때 역시 인터넷 출처 표기법에 따라 본문에서 주석 처리하고 글 마지막의 참고문헌 목록에 포함시켜야 한다. 무엇보다 인터넷에 글을 남길 때는 쓰고자 하는 내용이 정확한 것인지 충분하게 검토해야 한다. 무심코 남긴 글이 인터넷에 전파되어 다른 누군가에게 커다란 상처를 줄 수 있다는 사실을 염두에 두고 글을 작성해야 한다.

✔ 학습 활동

1. 우리에게 익숙한 물건 가운데 하나를 정해서 다른 사람이 알아차리지 못하도
   록 스무고개로 표현해 보자.

---

2. 자신이 좋아하는 것 5가지를 생각나는 대로 적어 보자. 그 중 하나를 선택하
   고 그것과 연상되는 단어들을 떠올려보자. 떠오른 단어들을 사용해서 한 단
   락 글을 써보자.

제 2 장

글쓰기의 기초 1

※ 학습목표

---

1. 가주제와 참주제를 구분하고 주제를 구체적으로 정할 수 있다.

2. 주제를 자신의 주장이나 의견을 담은 주제문으로 완성할 수 있다.

3. 주제문을 중심으로 글의 내용을 구상하고 전체 글의 개요를 작성할 수 있다.

---

1. 주제 정하기

가. 주제 설정

글을 쓰는 과정에서는 다양한 지식과 정보들을 사용하게 된다. 이처럼 다양한 지식과 정보들을 통합하여 한 편의 글을 통일성 있게 엮어 내는 것은 매우 어려운 일이다. 현대사회는 지식과 정보가 넘쳐나고 있는데 재료에 휩쓸려 글을 쓰다가 헤매거나 횡설수설하게 될 수 있다.

어떤 글들은 의미있는 이야기들을 하고 있는 것 같지만 여러 가지 이야기를 주절주절 늘어놓는 경우가 많다. 대부분 이런 글은 정작 무엇을 말하려고 하는지 그 주제를 종잡을 수가 없다. 누구든지 글을 쓸 때 이러한 경험을 할 수 있다. 많은 정보를 전달하려고 하거나 자신이 알고 있는 지식을 다 표현하려고 할 때 그러한 함정에 빠지기 십상이다. 이 경우 우리가 글을 쓰는 의미를 찾기 어렵게 될 것이다.

글에서는 무엇보다 주제가 중요하다. 글이 어떤 내용을 전달하고자 하는지, 어떤 것을 말하고자 하는지, 주장하는 바가 무엇인지가 명확해야 한다. 이를 위해서 하나의 주제 아래로 모든 재료가 수렴해야 하는 것이다. 하나의 주제를 분명하게 표현하기 위해서 많은 내용을 담기보다 불필요한 내용을 덜어 내는 것도 중요한 일이다.

한편의 글에서 통일성이 결여될 때 좋은 글이라 할 수 없다. 그렇다면 다양한 재료들을 가지고 통일성 있는 글을 조직하기 위해서는 어떻게 해야 할까? 이를 위해서는 우선 주제를 분명하게 정해야 한다. 글의 중심이 되는 주제가 분명하게 보일 때 주제에 따라서 글의 재료들을 적절하게 배치할 수 있게 된다. 좋은 글은 주제를 분명하게 하는 데에서 시작되는 것이다.

1) 주제란 무엇인가

한 편의 글은 여러 개 문장으로 구성된다. 물론 하나의 문장이나 몇 개의 단어만으로 이루어진 글도 있다. 그러나 대부분 여러 개의 문장이 모여서 하나의 단락을 이루고 여러 개의 단락이 유기적으로 연결되어 한 편의 글이 되는 것이다. 여기에서 한 편의 글을 이루는 문장들은 지식이나 정보, 혹은 글쓴이의 생각이나 주장을 담고 있다. 즉 정보와 지식, 생각과 주장 들이 하나의 주제를 향해서 수렴되는 가운데 한 편의 글이 완성되는 것이다.

우리가 좋은 글을 쓰기 위해서는 문장과 단락의 여러 단위들을 유기적으로 배치하고 그것을 하나의 주제로 모일 수 있도록 해야 한다. 주제와 연관성 없이 문장과 단락을 나열한다면 독자에게 어떤 정보와 의미를 전달하기는커녕 혼란만 부추기게 될 것이다. 우리가 글을 쓰기가 어렵다면 그 이유가 여기에 있을 것이다.

한 편의 글에서 여러 문장들이 긴밀하고 유기적으로 연결되어 하나의 생각으로 집중될 때 이것을 주제라고 한다. 그러므로 주제는 한 편의 글에서 뼈대가 된다. 우리 몸에서 뼈를 중심으로 살이 붙듯이 한 편의 글에서 주제가 분명하게 드러날 때 다른 재료들이 자리를 잡을 수 있고 글의 전체 균형을 맞출 수 있다.

글을 쓸 때 통일성 있는 구성, 글의 전체 균형 맞추기 등의 질서가 쉽게 보이는 것은 아니다. 이를 위해서 어느 정도의 훈련이 필요하다고 해야 할 것이다. 아무리 뛰어난 작가들도 한번에 글을 완성하는 일은 찾아보기 어렵다. 오히려 이름있는 작가일수록 자기 글의 주제를 찾는 일이 어렵다고 토로하는 경우를 종종 볼 수 있을 것이다.

2) 주제는 어떻게 정하나 – 가주제와 참주제

주제는 그 글의 핵심이므로 명확하게 정하는 것이 중요하다. 그러나 글을 쓸 때 처음부터 주제를 분명하고 확실하게 설정하는 것은 매우 어려운 일이다. 우리가 무엇에 대해 쓸 것인지 정했다고 하더라고 그것이 바로 글의 주제가 되는 것은 아니다.

예를 들어 만약 자신이 다니는 대학을 소개하는 글을 쓴다고 가정해 보자. 자신이 다니는 대학에 대해서 아무런 정보도 없는 사람은 많지 않을 것이다. 오히려 대부분의 학생들은 학교에 대해 너무 많이 알고 있을 것이다. 그러나 실제로 글을 써보라고 하면 어떻게 할지 망설여지고 당황하게 된다. 이 경우 주제를 정하지 못해서 글을 시작하지 못하는 경우를 많이 보게 된다. 그래서 쓰기 단계에 들어가면 대학의 학과를 나열하거나 유명한 동문을 말하거나 교수님들을 소개하는 내용들을 두서없이 쓰게 된다. 실제로 '우리 대학의 동문'이나 '우리 대학의 축제' 또는 '우리 대학의 자랑거리' 등으로 글의 제재를 한정한다면 학생들이 글을 쓰기가 쉬울 것이다.

자신이 태어난 고향이나 살고 있는 지역에 대해서 글을 쓴다고 해도 마찬가지이다. 어떤 지역이든 쓸 이야기는 많다. 지역의 역사에서부터 사건, 인물, 산업, 스포츠, 예술, 문화유적, 먹거리, 관광지, 주요 기관 등 소재는 무궁무진하다. 그러나 이러한 것을 다 열거한다면 그저 백과사전 같은 수준의 정보를 제공하는 데 그칠 수 있다.

주제를 정할 때는 자신이 말하고자 하는 것을 한정할 필요가 있다. 즉 내용을 좁히는 과정이 필요하다. 이를 좀 더 자세히 설명해 보면 주제를 가주제와 참주제로 나누어 생각해 볼 필요가 있다. 가주제란, 주제는 주제이되 아직 범위가 구체화되거나 분명하게 드러나지 않은 다소 막연한 상태의 주제를 가리킨다. 참주제란 가주제에서 범위를 명확히 한정하고 구체화시킨 것이라고 할 수 있다. 즉 보다 넓은 범위의 가주제에서 좁은 범위의 참주제로 내용을 좁히는 것이다.

가주제는 쓸거리가 너무 많은 상태이므로 여기서 자신이 진짜 쓰고 싶은 주제와 범위를 설정해야 한다. 참주제가 정해져야 자신의 글이 포함해야 할 내용이 선별될 수 있으며 이렇게 선별된 내용은 주제와 긴밀한 관계를 맺으며 글의 통일성을 높이게 된다.

예를 들어 〈내가 살고 있는 도시〉에 대해 글을 쓰고자 주제를 잡는다면 도시가 가지고 있는 다양한 요소 즉 역사, 사건, 인물, 산업, 스포츠, 예술, 문화유적, 먹거리, 관광지, 주요 기관 등은 가주제에 해당한다. 참주제는 이 중에서 하나 또는 두 개 정도로 좁혀서 선정하는 것이다. 조금 더 좁혀 들어가도 좋을 것이다.

역사를 살펴보면 선사시대부터 삼국시대와 고려시대, 조선시대 그리고 현대가 있을 것이고 사건도 수많은 사건이 있을 것이다. 문화유적도 각 시대별로 존재할 수 있고 관광지도 보통 한두 군데 이상은 있다. 먹거리의 경우도 맛있는 음식이나 유명한 맛집, 역사가 있는 식당 등이 있을 수 있다. 그 중 한두 가지를 골라서 글을 쓸 수 있다면 내용은 보다 더 구체적이고 명확해질 것이다.

'장애인의 인권'이란 주제에 대해서 글을 쓰는 경우를 생각해 보자. '장애인의 인권'이란 주제는 그 자체로는 아주 막연한 주제, 즉 가주제이다. 이것을 참주제로 발전시키기 위해서는 먼저 '장애인의 인권'이란 주제의 여러 가지 측면에 대한 검토가 필요하다. 장애인의 인권 문제는 정치나 경제적인 측면에서도 생각해 볼 수 있으며, 가정과 학교, 직장, 공공기관 등에서도 생각해 볼 수 있다.

정치적인 측면에서 장애인을 대표하는 정치인이 거의 없거나 적은 이유를 가지고 글을 쓸 수도 있고, 경제적인 측면에서 장애인에 대한 지원이나 복지 문제를 논할 수도 있다. 직장으로 범위를 좁혀도 어떤 부분은 장애인의 인권이 개선된 부분이 있고 아직도 불합리한 부분이 있을 수 있다. 취업에 있어서 불이익이나 업무나 휴가, 월급 등에 있어서 문제가 각각 그 수준이 다를 수 있다. 이때 어떤 문제를 부각시킬 것인가가 자신의 글의 주제가 될 수 있을 것이다.

주제를 좁게 잡으면 문제가 구체적으로 드러날 수 있다. 전체적으로는 큰 문제가 없어 보이는 것들도 나누어서 들여다보면 심각성이 다름을 알 수 있다. 만약에 이를 전체로만 본다면 평균적인 현상만을 알게 되므로 그 심각함에 대해서 알기는 어려울 것이다. 또한 세부적 관점에서 해당 분야를 접근하게 되므로 훨씬 더 현실적으로 이해할 수가 있다.

주제가 구체적이면 해결책도 구체적으로 나올 수 있다. 포괄적인 문제가 아니라 부분적인 심각한 문제를 주제로 잡고 있으므로 그 문제에 대한 해결책이 구체적으로 제시될 수 있는 것이다. 원인에 대한 분석부터 주장에 대한 자료까지 모아서 해결책으로 이야기를 모아갈 수가 있다.

✔ 학습 활동

〈보기〉

여행	환경	음식	취업	죽음
소비	결혼	건강	대학	복지

1. 보기의 가주제들을 자신이 관심있는 참주제로 구체화시켜 보자.

여행		소비	
환경		결혼	
음식		건강	
취업		대학	
죽음		복지	

3) 주제문장 작성

참주제 즉 가주제에서 주제를 좁혀 자신이 쓰고 싶은 주제를 선정했다고 해서 주제가 결정되는 것은 아니다. 주제를 하나의 문장 형태로 분명하게 드러낼 필요가 있다. 여기에는 자신의 주장이나 생각이 반영되어야 한다. 글은 기본적으로 자신의 생각을 전달해 누군가를 설득하는 것이 목적이다. 그러므로 우선 자신의 생각을 명확하게 정할 필요가 있다. 찬반으로 나뉘는 주제라면 확실한 찬성이나 반대 의사를 주제문으로 표현하는 것도 중요하다. 따라서 주제문은 전체 글의 내용을 한 문장으로 압축한 것이라 할 수 있다. 주제문을 잘 써 놓으면 글을 쓸 때에도 방향을 잃지 않을 수 있다. 애초에 자신의 목표를 명확하게 해놓은 것이므로 글의 내용이나 구성에도 큰 도움이 된다.

주제문장을 작성할 때는 일반적으로 주의할 점이 있다.
- 주제문장은 되도록 하나의 문장으로 간단명료하게 작성하는 것이 좋다.
- 주제문장은 의문문이 아니라 평서문이나 청유문이어야 한다.
- 주제문장의 내용은 명확하고 구체적이어야 한다.
- 주제문장에는 글쓴이의 입장과 태도, 사고와 판단 등이 담겨 있어야 한다.
- 주제문장의 내용은 객관적이고 타당한 근거에 의해서 입증될 수 있어야 한다.
- 주제문장은 둘 이상의 내용을 동시에 다루지 않고 하나의 내용만을 다룬다.
- 주제문장은 '나는 ～ 이라고 생각 한다'의 표현은 피한다.
- 주제문장은 비유적인 표현을 되도록 피한다.

특히 글을 쓸 때 자칫하면 글쓴이의 주관적인 감정이나 선입견을 바탕으로 주제를 설정하는 일을 피하기 위해서 반드시 주의사항을 기억해 두는 것이 좋다.

✔ 학습 활동

2. 다음 주제에 대해 주제문을 작성해 보자.

여행		소비	
환경		결혼	
음식		건강	
취업		대학	
죽음		복지	

2. 구상 및 개요작성

구상은 글의 주제를 효과적으로 전달하기 위해서 글을 어떤 방식으로 써 나갈 것인가를 미리 머릿속으로 생각하고 간단히 정리하는 과정을 의미한다. 다시 말해 각각의 자료의 중요도를 정하고 주제와의 관련성을 고려하여 자료들 사이의 인과 관계나 선후 관계를 어떻게 배치할지를 정하는 작업이다. 구상은 그런 점에서 집을 짓기 전 어떤 식으로 구조를 만들고 공간을 배치할지를 정하는 것과 비슷하다.

개요는 구상을 한 단계 더 구체화시키는 과정으로 일종의 설계도를 만드는 것이라 할 수 있다. 구상이 머릿속에서 이루어지는 작업이라면 개요는 종이 위에 표시하는 것이다. 물론 머릿속에서의 작업과 종이 위의 작업이 유사하겠지만 종이에 적다보면 구상 단계에서 예상하지 못했던 문제들이 나오기도 한다. 이렇듯 상상으로는 가능한 것처럼 보이지만 구체화 시키면 불가능한 경우들이 발생하기도 한다. 개요는 자신의 상상을 객관화시키는 것으로 글을 쓰기 전에 한 번 더 점검해 볼 수 있는 기회를 준다.

또한 머리로 생각만 하고 그친다면 실제 글을 쓸 때 잊어버리는 경우도 있다. 개요는 그런 점에서 구상 단계에서 바로 글을 쓸 경우 발생할 수 있는 문제를 막아준다. 설계도를 보고 집을 짓는다면 원래의 계획대로 지을 수 있다. 그러나 만약 기억에만 의존한다면 중요한 것을 빠뜨리거나 반대로 필요 없는 것을 만들 수도 있다. 창문 내는 것을 잊어먹는다거나 방문을 두 개 만든다면 이는 중요한 실수일 것이다. 설계도를 만들어 놓으면 우선 잊어버릴 위험이 없고 또한 낭비할 위험도 줄어든다.

가. 개요 작성의 방법과 실제

개요는 전체 글에 대한 구성을 한층 구체화하는 작업이다. 조각으로 치면 머릿속에 있는 뼈대를 실제의 뼈대로 만드는 과정이다. 머릿속의 구상이 개요로 현실화되는 과정에서 이미 많은 것들을 검토할 수 있다. 상상 속에서는 가능한 것들이 막상 현실에서는 불가능한 경우들이 있다. 개요 역시 구상이 가지고 있는 다양한 문제들을 미리 검토해 볼 수 있는 기회가 되기도 한다.

개요를 작성하는 방법에도 여러 가지가 있다. 크게 두 종류로 나누어지는데 '어구식 개요'와 '문장식 개요'이다. 차이는 그 내용이 얼마나 간단한가이다. 어구식 개요는 책 앞부분에 배치하는 목차와 비슷하다. 책의 목차는 대부분 한 개 또는 몇 개의 단어로 이루어진다. 목차가 문장인 경우는 매우 드물다. 몇 개의 단어를 통해 목차는 해당 부분의 내용을 독자에게 전해준다. 그래서 '어구식 개요'를 '목차식 개요'라고 하기도 한다. '어구식 개요'는 한두 개의 단어만으로 개요를 짜기 때문에 만들기가 쉽고 한눈에 잘 들어온다는 장점이 있다.

'문장식 개요'는 '어구식 개요'보다는 살을 더 붙인 형태이다. 몇 개의 단어로 이루어진 '어구식 개요'보다는 더 자세하며 일반적으로 문장의 형태를 보인다. 이 경우 그 분야의 핵심 주제문을 '문장식 개요'로 정하는 경우가 많다. '문장식 개요'는 '어구식 개요'보다는 살이 더 붙어있고 비교적 자세하므로 실제 글을 쓸 때 도움이 된다. '문장식 개요'는 해당 부분의 전체 내용을 함축하고 있으므로 실질적으로 소주제에 해당한다. 그러므로 글 전체가 유기적으로 매끄럽게 연결되어 있는지도 확인할 수 있다.

'어구식 개요'나 '문장식 개요'는 장점도 있지만 단점도 있다. '어구식 개요'는 실제 글을 쓰는 작업을 할 때 해당 부분의 취지나 구체적 내용이 무엇이었는지 기억하기 어려운 경우가 있다. '문장식 개요'는 개요 작성에 수고가 많이 든다는 점을 들 수 있다.

　개요 작성에 정답이 있는 것은 아니다. 분량이 긴 글이라면 간략하게 작성하는 것이 좋으므로 '어구식 개요'가 적절할 수 있고 분량이 적은 글은 처음부터 '문장식 개요'에서 시작해 내용을 보완하는 것이 효과적일 수 있을 것이다. 그러나 분량에 따라 개요가 정해진 것은 아니니 자신에게 맞는 개요 작성 방식을 쓰거나 아니면 조금 바꿔서 사용해도 된다. 중요한 것은 자신이 전체 글을 어떤 방식으로 쓰고 어떻게 구성할지를 체계적으로 정리하는 것이다. 또한 자신이 쓰고자 하는 내용을 명료하고 간략하게 정리하는 것이 필요하다. 이를 위해서는 주제와의 연관성이나 글 전체의 분량, 주장과 근거, 핵심 내용 등을 적절히 고려해야 한다.

나. 목차 구성하기

　개요를 작성할 때 이를 목차로 재구성해보는 것도 필요하다. 어구식 개요는 그 자체로 목차가 될 수 있다. 문장식 개요를 작성했다면 이를 몇 개의 단어로 압축하거나 내용을 포괄하는 표현으로 바꿔 목차를 만들면 된다. 이때 중요한 것은 전체적인 기호를 통일하는 것이다.

　글의 목차는 전체적인 구성과 전개를 압축해 놓은 것이다. 따라서 목차를 잘 정리하여 제시해야 읽는 사람이 글의 전체적인 구성을 잘 이해할 수 있다. 그러기 위해서는 한눈에 쉽게 파악할 수 있도록 논리적인 체계로 짜는 것이 좋다. 목차는 숫자나 문자를 활용하는 경우가 많다. 이때 내용의 성격이나 급에 맞는 기호를 통일시키는 것이 중요하다. 목차는 크게 장절식 목차와 수문식 목차, 그리고 수목차의 세 가지 방법이 쓰인다.

1) 장절식 목차

장절식 목차는 논문을 장, 절, 항, 목으로 나눈다. 전체 글을 몇 개의 장으로 구분하고 장의 밑에 절을, 그리고 절의 밑에 항을 두고 다시 항의 밑으로 목을 두는 방식이다.

장절식 목차의 예

제 1장
제 1절
제 1항
제 1목

2) 수문식 목차

수문식 목차는 숫자와 문자를 섞어서 목차를 구성하는 방식이다. 이때 대체로 장의 표시로는 로마자 숫자를 쓰고 절의 표시로는 괄호 없는 아라비아 숫자를, 그리고 항의 표시로는 한글의 가, 나, 다, 라나 영문 대문자 혹은 괄호로 싼 아라비아숫자를 사용하고 목의 경우는 ㄱ, ㄴ과 같은 한글의 자모나 a, b, c 등 영문 소문자, 그리고 ①, ②, ③ 등의 숫자를 사용하기도 한다.

수문식 목차의 예

Ⅰ.
  1.
   가.
     ㄱ.

수문식 목차의 경우 장, 절, 항, 목에 해당하는 숫자와 문자가 딱히 정해진 것은 아니므로 자유롭게 본인이 편한 방식으로 구성하면 된다. 대신 전체적인 글의 구성에서 통일성과 원칙을 유지하는 것이 중요하다. 내용이 비슷하거나 글에서 차지하는 성격이 비슷하다면 같은 기호를 주는 것이 좋다.

3) 수목차

숫자나 문자를 섞어 쓰는 것이 귀찮은 경우 숫자로만 목차를 구성하기도 하는데 이를 수목차라고 한다.

수목차의 예

1.
  1.1.
  1.1.1.
    1.1.1.1

목차를 구성할 때는 전체적인 구성이 통일성과 일관성이 있어야 한다. 즉 각각의 제목이나 기호가 내용의 성격에 맞아야 한다는 것이다.

만약 〈한국의 자연〉이라는 제목으로 우리나라의 자연환경을 소개하는 글을 쓴다고 가정해 보자.

1.산	1.산
1.1.지리산	1.1.지리산
1.2.설악산	1.2.설악산
1.3.무등산	1.3.무등산
2.강	2.한강
2.1.한강	3.낙동강
2.2.낙동강	
2.3.영산강	
	4.바다
3.바다	
3.1.동해	
3.2.남해	
3.3.서해	

　　왼쪽의 목차는 전체적인 구성이 일관성이 있고 장 제목의 성격이나 위계가 비슷하다. 반면 오른쪽의 경우는 장 제목이 1에서는 〈산〉인데 2와 3은 〈강〉이 아니고 〈한강〉과 〈낙동강〉이다. 4는 〈바다〉만 있고 그 아래 하위 목차가 없다. 물론 전체적인 내용은 왼쪽에 있는 목차의 내용이 포함될 수는 있지만 목차의 구성에서 우선 혼란을 줄 수 있고 가독성을 떨어뜨리고 있다.

✔ 학습 활동

3. 다음은 '인터넷 쇼핑의 장단점' 이란 제목에 대한 글의 목차에 해당한다. 각각의 제목을 성격이나 급에 맞게 배치하여 하나의 개요를 구성해 보자.

> 인터넷 쇼핑의 장점, 쇼핑의 역사, 해결 방안, 저렴한 가격, 상세한 설명, 실제와 화면상 차이 고려, 신뢰할 만한 쇼핑몰 선택, 인터넷 쇼핑의 단점, 허위 과장광고, 현대의 쇼핑문화, 실제와 화면상의 차이, 개인정보 해킹, 과거의 쇼핑 문화, 다른 사이트 비교 등 신중한 선택, 직접 방문 없이 구매 가능

_____

_____

_____

_____

_____

_____

_____

_____

_____

_____

_____

_____

_____

_____

_____

_____

4. 김장 김치를 담그는 전 과정을 개요로 작성해 보자. 또는 자신이 잘 아는 요리로 작성해 보자.

_____

_____

_____

_____

_____

_____

_____

_____

_____

_____

_____

_____

_____

_____

_____

_____

_____

_____

_____

_____

_____

_____

5. '간접흡연에 대한 문제 해결'을 주제로 한 편의 글을 쓰고자 한다. 이에 대해
   어구식 개요를 작성해 보자.

> 주제문 : 우리 국민은 흡연자이든 비흡연자이든 간접흡연의 피해를 받고 있으므
> 로, 공공장소에서 흡연을 삼가야 한다.

제3장
글쓰기의 기초 2

※ 학습목표

1. 주장에 대한 근거 자료의 필요성에 대해 이해할 수 있다.
2. 객관적이며 신뢰할 만한 자료를 찾을 수 있다.
3. 브레인스토밍의 방법을 통해서 창의적인 아이디어를 도출할 수 있다.

1. 자료 모으기

가. 자료의 중요성

글을 쓰기 위해서는 주제나 주장을 뒷받침해줄 근거가 필요하다. 좋은 글은 이러한 자료를 충분하게 갖추고 있어야 한다. 보통 글은 아름답고 지적으로 쓰는 것이 중요하다고 생각하기 쉽다. 그러나 미적으로 아름다운 글이라고 해도 주장에 대한 근거나 자료가 충분하지 못하다면 읽는 이에게 신뢰를 얻기는 어렵다. 반면 문장은 다소 어설프고 수준이 낮다고 해도 자료의 수준이 높거나 자료에 대한 신뢰가 강하다면 높은 평가를 받을 것이다. 자료가 정확하고 다양하다면 좋은 자료를 얻기 위해 기울인 노력도 인정받게 될 것이다. 좋은 글은 상대를 설득시키는 글이므로 자료의 정확성은 매우 중요하다.

또한 자료는 글이 진행되는 데 큰 역할을 한다. 자료가 없이 글을 쓴다고 가정해 보자. 주장을 뒷받침하고, 증명할 자료가 없다면 주장만을 계속 반복하게 된다. 또는 매우 추상적이거나 두루뭉술한, 즉 하나 마나 한 말을 늘어놓게 될 것이다. 반면 자료가 다양하게 있다면 여러 가지 방향으로 이야기를 진행하고 또 논리적 흐름에 따라 자료를 활용하며 글을 더 풍부하게 할 수 있다. 객관적인 자료에 근거할 때 입체적인 글이 구성되는 것이다.

나. 좋은 자료의 요건

자신의 주장을 뒷받침한다고 무조건 좋은 자료는 아니다. 인터넷의 발달로 자료를 얻기는 쉬워졌으나 믿을 만한 자료는 매우 적다. 좋은 글에 필요한 좋은 자료는 몇 가지 요건을 가지고 있다.

정확성	자료는 출처나 담고 있는 내용이 정확해야 한다. 정확성이 부족한 자료는 글을 읽는 사람에게 믿음을 줄 수 없고 따라서 글의 가치를 떨어지게 만든다. 글은 자기 자신을 드러내는 글이므로 거짓이 들어가서는 안 된다.
다양성	다양한 형태의 자료는 글의 내용을 풍부하게 하고 전달력을 높여준다. 일반적인 형태의 텍스트 자료 이외에도 사진이나 영상, 통계, 인터뷰 등의 자료를 사용하면 본인의 의도를 보다 쉽고 편하게 전달할 수 있다.
흥미성	누구나 알고 있는 자료를 사용하면 글을 읽는 사람의 흥미를 끌 수 없다. 글이란 최선의 노력으로 써야하며 자료를 신중하게 준비해야 한다.
포괄성	자료는 해당 주제 전반에 대한 내용을 포괄적으로 담고 있어야 한다. 주제와 관련한 설명도 많아야 하지만 주제에 대해서 여러 관점에서 접근하고 있는 자료라면 이해의 폭과 깊이를 더할 수 있다.

2. 자료의 종류

좋은 글을 쓰기 위해서는 사전에 여러 자료들을 수집하는 작업을 거쳐야한다. 자료는 크게 사례, 통계, 전문가 의견의 세 가지로 구분할 수 있다. 그외에도 중요한 자료의 종류는 많으나 이 세 가지 자료가 가장 자주 활용된다. 이 세 가지 자료는 장점도 많지만 단점도 있다. 각각의 장점과 단점을 잘 숙지해서 활용하는 것이 좋다.

가. 사례

사례는 어떤 주장을 좀 더 일반적이고 구체적으로 만들어주는 사실적 데이터이다. 우리는 주장을 증명하고 그것을 명확하게 하기 위해 많은 예를 든다. 글에서의 설득력은 제시할 수 있는 예시와 그것의 적절함에 달려 있다. 구체적인 예를 활용함으로써 글쓴이는 자신의 주장이 타당하다는 점을 청중들에게 각인시킬 수 있다. 사례를 사용해 설명할 때는 이 예들이 명료하고 주제와 관련성이 있어야 하며 다양하게 제시될 수 있어야 한다.

■ 충분한 예를 제시

어느 도시의 초등학교들이 기본적인 읽기 교육을 제대로 하고 있지 못하다는 것을 주장하기 위해서 대상이 되는 초등학교 학생들 두세 명의 예를 드는 것은 적절하지 못하다. 그러나 더욱 많은 예를 든다면 이는 심각한 상황이라는 것을 청중에게 전달할 수 있다.

■ 대표성이 있는 예를 제시

만약 위의 예에서 글을 잘 읽지 못하는 초등학생들의 예를 많이 제시하였다 하더라도 그 학생들에 관한 자료가 한 학교의 학습부진아 및 지적장애아동 반에서 인용한 것이라면 초등학교 교육의 문제에 대해서 청중이 받아들이기 어려울 것이다. 예를 들 때는 전체 대상에서 보편적이거나 또는 다수의 현상이어야 한다.

■ 반대의 예에 대해서도 설명 가능

학교 교육에 대한 위의 주장을 피력할 때 청중 가운데 어떤 사람이 전국 경시대회에서 입상한 자신의 조카의 예를 들거나 조카가 다니는 학교의 모의고사 성적이 전국 평균을 웃돈다는 말로 주장에 반론을 제기할 수도 있다. 예를 들어 설명할 때는 이처럼 반대의 예에 대해서도 설명할 수 있어야 한다. '아마 그 조카는 IQ가 150을 넘을 것이다.'라든가 '그 학교가 아주 엄격하고 공부를 잘 가르쳐 학생들의 성적을 철저히 관리한다.'와 같이 말이다. 즉 반론으로 나온 예들이 비전형적이며 예외적이라는 것을 보여줄 수 있어야 한다.

나. 통계

통계는 가장 흔한 사실적 자료다. 통계는 일일이 확인 불가능한 사람들의 전체적 성향을 계산할 때 유용하다. 통계 활용의 손쉬운 예를 들어 보자면, 우리는 다음 대선에서 누가 승리할지 궁금해 한다. 이 호기심을 충족시키기 위해 여론조사기관은 유권자들을 뽑아, 그 샘플에서 표현된 의견을 바탕으로 누가 실제 선거에서 이길지를 계산한다. 이런 경우 통계는 매우 강력한 사실적 자료가 될 수 있다. 그러나 통계는 누가, 언제, 어떤 방식으로 조사했느냐에 따라 다양한 의미를 가지게 된다.

■ 조사의 주체

통계를 조사한 사람의 자격 요건과 능력을 살펴야 한다. 전문적인 설문조사기관이 실시한 자료와 단순히 방송국이나 인터넷 포털이 자체적으로 조사한 것은 신뢰성에서 차이가 있다. 전문기관의 경우 설문대상을 엄격히 선정해서 조사하지만 방송국이나 인터넷 포털은 원하는 사람이 투표를 하기 때문에 결과에 차이가 나기 마련이다.

■ 조사의 목적

조사가 순수한 제3자의 입장에서 시행되었다면 그 결과는 보다 객관적일 것이다. 그러나 조사가 어떤 특별한 목적을 가지고 진행되는 경우도 있다. 예를 들어 특정 정치 후보자의 진영에서 실시한 통계조사라면 그 후보자에게 유리한 결과가 나오도록 하거나 상대 후보자를 평가절하하는 결과가 나오도록 할 수도 있다.

■ 조사의 방법

조사가 어떠한 방식으로 진행되었는지, 질문내용은 구체적으로 무엇인지 아는 것도 중요하다. 조사방법이 유선전화인지 무선전화인지에 따라 결과는 달라진다. 설문조사의 질문이 무엇인지에 따라서도 응답자의 대답은 바뀔 수 있다. 질문내용에 유도성 질문이나 비현실적인 내용, 특정 선택을 은연중에 강요하는 내용은 없는지 확인하는 것이 좋다.

■ 통계의 위험성

통계 자료를 인용할 때는 있는 그대로 자료를 가져다 쓰기보다는 그 자료에 대한 해석이 필요할 때가 있다.

A일보에 따르면 최근 배우자의 외도와 불륜에 대한 의심으로 친자확인을 위한 유전자 검사가 비밀리에 급증하고 있다고 한다. 놀라운 것은 검사결과 대략 20%~30%가 친자가 아닌 것으로 나왔다는 것이다.

　　만약 위의 자료를 바탕으로 한국인들 중 1/4이 남의 자식을 키우고 있다고 주장한다면 이는 옳은 것일까? 그러나 이런 경우에는 표본이 편향되어 있다. 친자확인 검사를 하는 경우라면 무언가 자기 자식이 아닌 것 같다는 의심이 있는 사람들이거나 그럴 만한 정황이 매우 큰 경우일 것이다. 그러므로 그만큼 자기 자식이 아닐 가능성이 아주 많은 사람들만 모아놓고 검사를 한 셈이 된다. 보통의 사람들이 하릴없이 친자확인 검사를 받지는 않는다는 사실을 상기하면 위의 신문이 제시한 결과가 한국인을 대표할 수는 없다.

　　다음의 통계 자료가 가지고 있는 문제점을 밝혀보자.

　　교통사고를 조사해보니 대부분의 사고가 안전벨트를 착용한 경우에 발생했다. 그러므로 안전벨트를 착용하면 사고 위험이 높아진다.

　　우리나라에서 물놀이 사고가 제일 많은 곳이 바로 해운대다. 따라서 해운대는 가장 위험한 바닷가라고 할 수 있다.

　　지난 한 해, 결혼한 기혼녀가 강도가 아니라 어떤 동기에 의해 살해당한 숫자를 보면 절반 이상이 그녀들의 남편들에 의해 살해당한 것이다. 그러므로 기혼여성들은 남편을 가장 조심해야 한다.

다. 전문가 의견

전문가의 의견이나 연구 자료는 통계 등을 포함하며 매우 강력한 형태의 자료이다. 연구는 그것이 이론적 설명을 갖추고 있기 때문에 단순한 '통계' 보다 훨씬 더 설득력이 있을 수 있다. 좋은 연구는 연구자가 갖가지 자료를 모으고 해석을 덧붙이기 때문에 활용가치와 설득력이 높아진다. 그러나 전문가라고 해서 모든 경우에 언제나 적절한 의견을 제시하는 것은 아니므로 주의해야 한다.

■ 전문가의 전문분야

전문가가 자기 전문 분야를 넘어서서 인접 분야에 까지 의견을 내는 경우가 있다. 세법 전문 변호사가 헌법 전문가로서의 의견을 표출할 수도 있고 외과의사가 정신분열증의 원인에 대해 자기의 의견을 제시할 수도 있다. 그들의 의견은 옳을 수도 있고 틀릴 수도 있다. 그러나 자신의 전문분야가 아닌 인접 분야에 대한 의견은 적절한 정보를 지닌 해당분야 전문가에 비해 신뢰도가 떨어지는 것은 당연하다.

■ 편견과 이해관계

정당의 대표가 자기 당의 강령을 정의와 번영을 위한 청사진이라고 평가하고, 방송국의 사장이 자사의 새로운 프로그램을 긍정적으로 평가한다 하더라도 이를 사실이라고 쉽게 믿을 수는 없다. 이런 경우 일반적으로 사람들은 이데올로기나 금전적 이해관계 또는 개인적 친분이 없는 정치평론가나 TV비평가의 의견을 더 신뢰한다.

전문가 또는 과학자의 의견을 자료로 사용할 때에도 그 자료의 사실성에 주의를 기울여야 한다. 일반인들은 흔히 전문가나 과학자가 객관적이고 공정할 것이라고 생각한다. 그러나 그들도 똑같은 인간이고 그렇기에 고의적이든 우연에 의한 것이든 잘못을 범하게 마련이다.

그 외에도 다른 사람의 연구논문을 표절하거나 연구결과를 날조 또한 변조하는 일들이 과학계에서는 비일비재하다. 또한 자신의 권력을 이용해 경쟁자의 연구를 방해하거나 타인의 연구성과를 왜곡 또는 비방하는 일들도 많다. 그들이 의식적이든 무의식적이든 이런 잘못을 범하는 데에는 다양한 이유가 있다. 부도덕한 사람은 자신의 연구로 부와 명예를 얻고 싶어 하고 남을 누르고 높은 자리에 오르려고 한다. 그리고 그들은 자신의 목적을 위해 수단 방법을 가리지 않는다.

한편으로는 동료의 실수를 덮어주려는 동업자의식 때문에 과학자들 사이에서 자정 효과를 기대하기 힘든 분위기도 존재한다. 여기에는 자신이 남의 잘못을 말하지 않으면 그도 나의 잘못을 밝히지 않으리라는 암묵적 약속이 들어 있기도 하다. 따라서 전문가의 말이라고 해서 무조건 신뢰하거나 근거로 사용하는 것은 매우 위험하다. 물론 비전문가로서 전문가의 말을 의심한다는 것도 매우 어려운 일이다. 그러나 그들이 이러한 실수를 범하게 되는 이유를 유념하고 자료의 이용에 신중을 기해야 할 것이다.

3. 브레인 스토밍(brainstorming)

글을 쓸 때는 주제선정이나 소재 찾기 등에서 생각이나 아이디어를 모으는 과정이 필요하다. 브레인스토밍은 여러 사람이 참여해 해결하고자 하는 일과 관련된 아이디어를 모으는 과정을 말한다. 자유로운 분위기 속에서 참가자들의 사고 작용이 활성화되어 창의적 아이디어가 도출되는 것이 브레인스토밍의 장점이다. 일반적으로는 조별활동이나 팀프로젝트 등에서 자주 사용되는 회의 방법이지만 응용하면 글쓰기에도 활용가능하다. 자신이 쓰려고 하는 글의 주제와 관련해 떠오르는 두서없는 생각들을 그대로 기록하고 이를 바탕으로 글을 쓰면 된다.

브레인스토밍 과정에서 무엇보다 중요한 것은 경직된 사고에서 벗어나는 것, 그리고 선입견과 고정관념을 버리는 일이다. 경직된 사고의 틀을 고수하는 한 창의적인 아이디어는 생성되지 않기 때문이다. 고정관념과 선입견에 집착하는 경우도 마찬가지이다. 따라서 생각을 모으는 과정에서는 아무리 사소하고 하찮게 보이는 아이디어라고 하더라도 일단 그대로 수용하는 것이 중요하다. 그 자체로는 별 쓸모가 없어 보이는 아이디어라고 하더라도 다른 것과 결합하면 유용한 아이디어가 될 수도 있기 때문이다. 아이디어의 질을 따지기보다는 먼저 상상력을 최대한 가동시켜 단시간에 많은 아이디어를 만들어내는 것이 중요하다. 따라서 굳이 아이디어들을 분류하거나 정리하기보다 무질서한 채 그대로 내버려두는 것이 좋다.

우리는 흔히 '양보다 질'이라는 말을 흔히 사용한다. 실속 없이 양만 많은 것보다는 질이 좋은 것이 더 알차다는 의미일 것이다. 그러나 브레인스토밍에서는 '질보다 양'이다. 즉 많은 양의 아이디어가 모이면 자연스럽게 질을 향상시키는 것이다. 여기에는 개인의 생각보다 집단지성이 더 가치있다는 믿음이 들어있다.

따라서 브레인스토밍은 자유분방한 토론이 최우선이다. 고정관념과 선입견을 버리고 격이 없이 토론을 해야 한다. 또한 서로 신뢰하고 배려하는 마음이 있어야 마음속 생각을 거리낌 없이 말 할 수 있다. 이를 위해서는 연장자나 상관이 권위와 체면을 버리고 상호존중과 이해하는 자세가 필요하다. 이러한 환경하에서만 각자의 개성과 재능을 최대한 발휘할 수 있다. 이처럼 브레인스토밍은 공동책임과 집단지성이 필요한 작업이다

그런데 브레인스토밍이 한국사회에서는 제힘을 발휘하지 못하는 경우가 많다. 대학수업에서 어떤 프로젝트를 가지고 조별활동을 할 경우 대부분 협업하는 모습을 기대하기 힘들다. 한 명은 자료조사, 한 명은 ppt작성, 한 명은 발표, 한 명은 질의응답 등과 같이 각자 맡을 역할을 정하는 것이다. 이렇게 각자 자기 할 일만 하며 서로 모여 의견을 나누지는 않는다. 이 경우 자료조사한 사람이 ppt를 만드는 사람에게 조사한 자료를 준다고 해도 자료의 의미를 명확히 이해하긴 힘들다. 어떤 의도와 목적을 가지고 자료를 조사했는지도 불분명할 것이다. ppt작성하는 사람이 발표하는 사람과 회의를 하지 않으면 발표를 맡은 학생은 ppt의 구성이나 흐름에 대해서 제대로 파악하기 어렵다. 즉 어떤 의도와 목적 그리고 구성을 가지고 있는지 모르고 발표를 할 위험이 있는 것이다. 질의응답을 맡은 경우 발표의 내용도 잘 숙지하지 못하면서 질의응답을 준비할 수도 있다.

수업에서 조별 활동을 협업이 아닌 분업으로 하다 보면 같은 조 구성원들끼리 경쟁하는 것처럼 보이기 십상이다. 이것은 조별 활동에 대해서도 개인 점수를 부여하는 데서 비롯된다. 조별활동에 대해 평가할 경우 조별활동에 대한 전체 평가 점수를 부여하는 것이 그 취지에 부합하다고 할 수 있을 것이다. 조별활동 경험이 적은 학생들은 단체로 점수를 받는 것에 익숙하지

않을 수 있다. 이 경우 조별활동에서 개인의 역할에 따라 개인점수를 받기를 원하게 된다. 이는 마치 멋있고 기능이 우수한 첨단 자동차를 만드는 프로젝트에서 한 명은 타이어를, 한 명은 차체를, 한 명은 엔진을, 한 명은 프로그램을 담당하는 것과 같다. 물론 각자가 다 자기 일에 최선을 다할 수 있지만 차를 만드는 것은 단지 자신의 맡은 일만 성실히 한다고 되는 것은 아니다. 디자인에 따라 엔진의 위치가 달라질 수 있고, 엔진의 위치에 따라 내부 배선이나 다른 부품의 위치가 달라질 수 있는 것이다. 만들고자 하는 자동차에 대한 전체적인 목표를 공유하며 자신이 맡은 일을 해야 최선의 결과를 얻을 수 있다. 따라서 조별활동에서 순위와 개인별 점수 부여는 매우 부적절하다고 할 수 있다.

또한 한국 사회는 자유보다는 체면과 권위를 중시한다. 후배나 아랫사람이 자신의 의견을 반대하면 자신이 무시받는 듯한 느낌을 가지게 되고 불쾌한 감정을 갖게 된다. 이런 사정을 아는 아랫사람들은 윗사람의 의견에 대해서 대놓고 반대를 하기 어렵다. 한국 사회는 학연, 지연, 혈연이 얽혀 있다. 처음 보는 사람에게 출신학교나 고향을 물어보며 관계를 형성한다. 나이를 물으며 형님 동생 관계를 정하기도 한다. 여러모로 한국사회는 위계적이고 윗사람이 자신의 권위나 체면에 신경을 많이 쓴다. 그래서 아랫사람은 윗사람의 눈치를 많이 보게 되는 것이 한국사회이다. 이렇게 되다 보니 윗사람의 의견을 거스르는 것을 극도로 꺼리며 회의나 토론에서 수동적 자세를 가지게 된다. 한국 사회가 토론을 기피하는 것도 그러한 사회 분위기와 관계가 있을 것이다.

여기에 브레인스토밍 자체의 한계도 한몫한다. 브레인스토밍은 그 성격상 한 번에 한 사람만 이야기를 할 수 있다. 누군가 이야기할 때 나머지 사람들이 모두 집중하고 있기는 현실적으로 힘들다. 또한 다른 사람들의 평가를 두려워하는 사람도 있다. 자기 의견에 자신이 없거나 내성적인 사람들은 타인의 평가에 대해서 거부감을 갖기도 한다. 자신의 생각을 표출함으로써 타인의 평가 대상이 되는 것이 두려운 것이다.

이러한 상황에서 주도적인 인물이 자연스럽게 부각된다. 이때 다른 의견을 내는 것을 두려워하거나 귀찮게 생각하는 사람들이 회의를 주도하는 사람의 의견에 동조해 힘을 싣는 경우가 발생한다. 주도적 인물들도 자신들의 의견으로 전체의 결정을 유도하고 다른 아이디어가 나오는 것을 차단하려 한다. 결과적으로 한두 명의 인물이 회의 과정을 주도하는 모습을 보이게 된다. 이러한 회피적 태도는 결과를 공동으로 책임짐으로써 개인의 책임이 분산되기 때문이다.

브레인스토밍의 절대적인 규칙은 우선 자신은 물론이고 타인의 아이디어를 비판하거나 평가하지 않는다는 것이다. 무엇보다 질보다 양을 중시하고 거칠고 자유분방한 아이디어일수록 더 환영한다. 이렇게 모인 아이디어를 조합하는 과정 속에서 양질의 아이디어를 생성하는 것이 브레인스토밍이다

✔ 학습 활동

1. 4인 1조를 만들어 다음 활동을 해 보자.

한 학생이 수업 시간에 늦어 버스정류장에서부터 뛰어와 가까스로 제시간에 강의실에 들어온 장면을 한 문장 또는 한 문단으로 실감나게 표현해 보자.

모둠원 이름	내용

작성한 글에 대해 모둠원들과 피드백을 주고받은 다음 글을 고쳐보자.

2. 다음 중 하나의 물건을 정해 그 물건으로 할 수 있는 것을 10가지 이상 써보자.

자석　　　숟가락　　　망치　　　풍선　　　머그컵

3. 혼자 유람선 휴가를 가던 당신은 폭풍우를 만나 배가 좌초될 위험에 처했다.

마침 근처에 무인도가 보여 배에 있는 몇 가지 물건이나 동물을 급히 챙겨 그곳으로 헤엄쳐 가려고 한다. 무인도에서 살기 위해 필요하다고 생각되는 물건 5개를 고르고 그 이유를 써 보자.

침낭, 칼, 삽, 도끼, 톱, 곡괭이, 망치, 낚시도구, 사냥총과 총알10개, 강아지, 비닐봉지, 방수천, 여벌 옷 2벌, 실과 바늘, 망원경, 조난신호탄 1발, 가방, 구멍튜브, 냄비, 후라이팬, 접시, 수저, 젓가락, 그릇, 거울, 랜턴, 줄 100미터, 칫솔, 치약, 술, 모자, 선글라스, 통기타, 모기약, 볼펜, 나침반, 로프, 초콜릿, 태양열조리기, 축구공, 줄넘기, 아령

4. 자신이 갖고 있는 물건 가운데 버리고 싶은 물건 5개를 적고 각각 이유를 적어보자.

제 4 장
전략적 글쓰기 1

※ 학습목표

1. 서론의 중요성을 이해하고 서론을 적절하게 작성할 수 있다.

2. 본론의 효과적인 전략을 세울 수 있다.

3. 글을 마무리하는 결론을 구상할 수 있다.

1. 서론 쓰기

서론은 글의 시작 부분으로 글을 읽는 사람이 처음 만나는 부분이다. 사람을 만날 때도 첫인상이 중요하듯 글도 서론이 중요하다. 첫 만남에서 좋은 인상을 주면 다른 부분들에 대해서도 호감을 갖기 쉽듯 서론이 좋은 인상을 주면 전체 글에 대해서도 기대하게 된다.

또한 서론은 글의 주제나 목적, 필요성 등을 간략히 제시해 줌으로써 읽는 이가 전체적인 글의 흐름을 짐작할 수 있게 해준다. 즉, 자기 글의 길잡이와 안내판 역할을 하는 부분이라 할 수 있다.

〈서론을 쓸 때 유의할 점〉

✓ 논의할 문제가 무엇인지 명확하게 밝힌다. (문제제기)
✓ 글을 읽는 사람에게 강한 인상을 남길 수 있는 개성이 필요하다. (흥미유발)

가. 개념에 대해 정의하면서 서론 쓰기

다소 어려운 개념이나 생소한 용어 또는 조금씩 다른 의미로 쓰이는 단어가 들어가는 글을 쓰게 되는 경우 서론에서 개념이나 용어를 먼저 설명하고 시작하면 효과적이다. 서론에서 개념에 대해 정의하고 설명한 후에 글을 쓰면 본론에서 논의의 폭을 한정할 수 있으며 결과적으로 글을 짜임새 있게 쓸 수 있다. 읽는 사람도 서론에서 개념에 대해 설명을 들으면 전체 글을 이해하는 데 도움이 된다. 서론이므로 개념에 대한 정의가 장황해지지 않도록 유의한다.

개인은 사회화를 통해 보다 풍요롭게 사회와 관계를 맺는다. 사회화란 자신이 몸담고 있는 사회의 가치와 신념, 문화적 규범 등을 배워나가며 자신의 감성을 채워나가는 과정을 일컫는다. 요즘같이 혼란스러운 시대에 이러한 사회화는 개인의 정체성을 형성하는 데 도움을 주는 한 가지 방식인 것이다.

나. 최근 사건을 언급하면서 서론 쓰기

최근에 일어난 사건을 언급하면, 독자는 글의 화제와 관련해서 글쓴이와 어느 정도 공감대를 형성하며 글을 읽게 된다. 이때 최근 사건이라고 하더라도 사소하고 개인적인 일이거나 극소수만이 알고 있는 것이라면 공감대를 형성하기 어려울 것이다. 또한 이념적이거나 논란이 되고 있는 사건이라면 오히려 반감만 키울 수 있으므로 주의가 필요하다.

2차 세계대전 때 일본군에 끌려가 성노예 생활을 강요당한 피해 할머니들이 일본대사관 앞에서 매주 수요일 항의집회를 해온 지 이번 달로 만 17년이 된다. 1992년 1월 이래 할머니들은 눈이 오나 비가 오나 찬바람이 불거나 뙤약볕이 내리쬐는 날에도 어김없이 모여 한 목소리로 외쳤다. "일본은 잘못을 인정하고 사과하라"고.

일본 정부는 그러나 귀를 닫고 있고, 할머니들만 숨을 거두고 있다. 2008년 마지막 수요집회에서는 그해 세상을 떠난 할머니들을 추모하는 촛불이 켜졌다. 2008년 1월 2일 집회 때 할머니들이 '우리는 쉽게 죽지 않아'라고 쓰인 피켓을 들고 나왔는데, 안타깝게도 그 사이 열다섯 명이 눈을 감은 것이다. 위안부 피해 사실을 처음 공개 증언한 김학순 할머니가 1997년 사망한 이후 우리 곁을 떠나는 할머니들은 매년 늘어나고 있다. 이제 정부에 등록된 위안부 피해자 234명 중 생존자는 94명밖에 없다. 남은 할머니들도 75~92세의 고령이어서 일본을 향한 외침을 언제까지 계속할 수 있을지 모르는 형편이다.

- 「정녕 일본은 할머니들이 모두 숨지기를 기다리나」, 『경향신문』, 2009년 1월 2일 사설.

다. 개인적인 경험을 제시하면서 서론 쓰기

자신만의 개인적인 경험을 이야기하며 서론을 시작할 경우, 읽는 이는 글쓴이에 대해 친밀감을 가질 수 있다. 이러한 친밀감이 형성되면 글쓴이와 읽는이 사이의 거리감이 좁혀질 수 있다. 읽는이가 글의 내용을 이해하는 데도 도움을 줄 수 있다. 개인적인 경험이므로 너무 장황해지는 것은 피해야 한다.

방학 때 어딜 다녀오면 좋겠냐고 물어온 학생에게 남도답사 일번지 코스를 알려주었더니 다녀와서 내게 하는 말이 정말로 잊지 못할 환상적인 답사였다고 감사에 감사를 거듭하고 선물까지 사 왔는데, 단서가 하나 붙어 있었다.

"샌님예, 근데 대흥사는 뭐가 좋응교?"

"왜? 절집 분위기가 좋지 않디?"

"분위기가 좋은 겁니꺼. 내는 뭐 특출한게 있는가 싶어 집이고 탑이고 유물관이고 빠싹허니 안 봤능교, 봐도 봐도 심심해 영 실망했는데, 낭구 하나는 게않습디더."

학생의 말대로 대흥사는 큰 볼거리가 있는 절이 아니다. 비록 나라에서 보물로 지정한 유물이 셋 있으나 그것은 역사적 가치일 뿐 예술적 감동을 주는 것은 아니기 때문이다. 그렇다고 해서 대흥사의 답사적 가치가 낮은 것은 물론 아니다. 인간이 간직할 수 있는 아름다움의 범주는 거의 무한대로 넓혀져 있다. 그 아름다움은 시각적 즐거움에서 비롯되는 자연미, 예술미뿐만 아니라 자못 이지적인 사색을 동반하는 문화미이기도 하다.

- 유홍준, 『나의 문화유산답사기』, 창작과 비평사, 1993.

라. 글의 방향에 대한 안내로서 서론 쓰기

서론의 목적은 글쓴이의 문제의식이나 글의 전체적인 흐름을 읽는 이에게 제시하는 것이다. 글의 방향 및 윤곽을 개략적으로 제시하는 것 또한 좋은 서론 쓰기의 방법이 될 수 있다.

한국전쟁이 끝난 지도 반세기가 지났다. 그러나 아직도 전쟁의 상처는 아물지 못하고 우리의 삶과 가슴을 억누르고 있다. 탈냉전기인 지금 이 시점에서도 여전히 영변핵위기나 서해교전과 같이 민족상잔을 가져올 제2의 한국전쟁 발발 일보 직전까지 치닫는 기막힌 현실 속에 우리의 삶은 처해 있다. 그러면서도 국가보안법 등 냉전제도와 우리의 가슴속 깊숙이 자리잡은 반북의식 때문에 우리는 분단과 정쟁을 넘어 통일로 나아가지 못하고 있다. 해마다 6월이 되면 전쟁책임론과 '상기하자 6.25' 등으로 전쟁의 극복보다는 전쟁의 가상적 재현을 부추기며 민족갈등을 조장하고 있다. 한국전쟁의 극복 없이는 민족의 숙원인 통일에 이르기 힘들다. 한국전쟁은 흘러 지나가버린 과거의 역사가 아니라 지금 이 순간까지도 살아 숨 쉬는 실체이며 극복되어야 할 대상이다.

　이 글은 한국전쟁의 출발도 통일이었고, 마무리도 통일일 수밖에 없다는 한국전쟁의 성격을 강조하면서 한국전쟁과 통일의 새로운 인식을 통해 그 극복을 기하고, 전쟁이라는 형식의 통일이 아닌 화해와 평화의 통일로 나아가고자 하는 의도에서 쓰여졌다. 남북정상회담이 개최되고 통일시대를 구가하면서도 아직 한국전쟁의 극복을 통한 통일에 다가가는 시도는 제대로 이루어질 수도 없었고, 이루어지지 않고 있다. 이제는 시대착오적인 냉전의식의 굴레에서 과감히 벗어나 남이나 북이나 한국전쟁의 극복을 통해 통일로 매진하여야 한다.

　이런 문제의식 하에 2장에서는 한국전쟁을 보다 분석적으로 파악하기 위하여 전쟁 5단계설을 제기한다. 이렇게 함으로써 한국전쟁이 가지는 민족적 위상을 잘 포착할 수 있고, 전쟁에 개입한 미국을 비롯한 외세의 실체를 제대로 파악할 수 있다. 3장은 한국전쟁을 냉전적 이해관계에 따른 인식이 아니라 우리 민족사의 교직 속에서 인식하는 민족 중심적 인식을 시도한다. 이러한 인식이야말로 전쟁의 극복을 통한 통일시대의 진입이라는 민족사적 과제와 접목되는 전쟁인식이다. 4장은 전쟁극복을 통한 통일에 이르는 길을 여러 각도로 모색한다. 이렇게 민족의 눈으로 한국전쟁을 이해함으로써 외세가 강요한 냉전의 눈, 남한만의 눈, 북한만의 눈으로 왜곡되게 보아 왔던 한국전쟁의 이해가 분단극복에 장애물이 되어 왔던 것을 자성할 수 있게 된다. 이를 바탕으로 우리의 당면과제인 민족통일의 성취에 도움이 되는 한국전쟁의 이해를 꾀하고자 한다.

- 강정구, 「한국전쟁과 민족통일-전쟁의 통일을 넘어 평화와 화해의 통일로」, 『전쟁의 기억, 역사와 문학』 상, 월인, 2005.

마. 명언, 격언, 속담 등을 인용하면서 서론 쓰기

명언, 격언, 속담 등은 한 사회의 특정한 문화적 의미를 함축하고 있다. 읽는이가 명언과 격언 또는 속담 등에 내포되어 있는 그 사회만의 문화적 의미를 미리 알고 있다면, 글의 전체적인 주제나 취지를 이해하는 데 큰 도움이 된다. 명언, 격언, 속담 등은 그 사회에서 자주 쓰는 표현들이므로 짧은 글이나 문장으로도 많은 내용을 전달할 수 있다.

우리의 옛 속담에 '모로가도 서울만 가면 된다'라는 말이 있다. 이 말에는 과정보다도 결과만을 중시하는 의식이 담겨 있다. 그러나 과정이란 단순한 통로만을 의미하지 않으며 대개의 경우 과정 자체가 다른 문제들과 연관을 가지고 있다. 따라서 결과만을 중시하고 과정이나 절차를 무시하게 될 때 더 큰 문제점을 야기하기도 한다. 바로 우리나라의 경제성장 과정이 그것을 보여준다.

바. 전문가의 의견을 제시하면서 서론 쓰기

글쓴이가 가지고 있는 문제의식에 대해 학자들이나 권위 있는 사람들이 쓴 글이나 말한 내용들을 활용해서 서론 쓰기를 시도할 수도 있다. 이들의 저서나 논평이 가지고 있는 권위와 전문성이 글쓴이의 문제의식을 전하는 데 도움을 줄 수 있으며 이해를 높일 수 있다. 그러나 지나치게 전문가의 글에 의존한다면 글쓴이만의 개성이 사라질 수 있으니 조심할 필요가 있다.

"(일본이) 대저 국력의 허실과 무비의 소밀을 살펴 승패의 형세를 헤아린 다음 도모해 왔다면, 저들이 이미 백 번 왔을 것이고 우리는 이미 백 번 패하여 씨도 없어졌을 것이다. 어떻게 현재까지 무사히 편안할 수 있겠는가."

이 구절은 정약용이 18세기 말에서 19세기 초 사이에 쓴 「일본론」의 일부이다. 정약용은 일본에 대하여 당시로서는 걱정할 것이 없다고 주장했다. 그 이유를 그의 목소리를 통하여 조금 더 부연해 보자.

"토요토미 히데요시(豊臣秀吉)가 100만 대군을 동원하고 10주(州)의 재력을 다 기울여 두 번이나 큰 전쟁을 일으켰지만 화살 한 개도 돌아가지 못했음은 물론 정권도 따라서 망했다. 그러나 백성들이 지금까지 원망하고 있으니, 그들이 다시 전철을 밟지 않을 것이 명백하다. 이것이 일본에 대해 걱정할 것이 없다는 첫째 이유이다.

영남에서 해마다 쌀 수만 섬을 운반하여 1주(州)의 생명을 살리고 있다. 현재 그들이 대대적인 약탈을 감행하더라도 반드시 이 쌀의 이익과 맞먹을 수가 없음은 물론 맹약만 깨질 것이니, 그들은 틈이 날 일을 유발시키지 않을 것이 분명하다. 이것이 일본에 대해 걱정할 것이 없다는 둘째 이유이다."(중략)

하지만 정약용이 일본은 침략하지 않을 것이라는 낙관론만을 견지하고 있었던 것은 아니다. 일본의 실력을 정확하게 지적한 위의 글에서 일본의 침략에 대한 방어 대책도 철저하게 강구하고 있었다. 요컨대 당시 조선의 위정자들이나 지식인들이 일반적으로 사로잡혀 있던 일본에 대한 적개심이나 화이론에 입각한 명분론에 정약용이 집착하지는 않았다는 것이다. 그는 일본의 학문수준이 조선을 앞질렀다고까지 평가할 정도로 일본의 유학이나 기술문명 그리고 사회 제도의 특징과 진보에 관심을 기울이고 있었으며, 그 위에서 일본의 실력을 정확히 평가하고 침략에 대한 방어 대책도 게을리 하지 않았던 것이다.

- 윤해동, 「억압된 '주체'와 '맹목'의 권력」, 『기억과 역사의 투쟁』, 삼인, 2002.

✔ 연습문제

다음은 '사회 지도자로서의 여성의 역할'이라는 주제로 쓴 글의 서론 부분이다. 다음 빈 곳에 구체적인 사건이나 현상을 언급하여 서론의 앞부분을 완성해 보자.

이처럼 사회 각 부분에서 여성들의 참여와 리더십이 발휘되어 많은 주목을 받고 있다. 지금까지 남성들의 전유물로만 생각되던 분야에서도 여성들이 두각을 나타내고 있는 것이다. 그리고 이러한 사실들을 자주 접하다 보면 이제는 남성과 여성의 사회참여가 평등해진 것처럼 생각된다. 하지만 여성의 사회진출과 성공은 남성들의 경우에 비하여 양적으로 상당히 적다. 아직도 사회진출을 저해하는 요인들이 사회 전반에서 뿌리 깊게 작용하고 있는 것이다.

2. 본론 쓰기

본론은 본격적으로 자신이 말하고자 하는 내용을 쓰는 부분이다. 서론에서 제기한 문제의식이나 주장에 대해 다양한 자료와 근거를 동원해서 타당성을 증명해야 한다. 서론이 글 전체에 대한 관심과 호기심을 증폭시키는 역할이라면 본론은 글 자체의 수준이나 깊이를 보여주어야 하는 것이다. 글쓴이의 능력이나 평소 생각이 가장 잘 드러나는 부분이기도 하다.

본론은 서론에서 제시한 문제에 대한 해결 과정을 구체적으로 모색하는 부분이다. 본론쓰기에서 유의해야 할 점은 첫째, 서론에서 제시한 주제와 문제의식의 범위를 벗어나지 않아야 한다. 주제를 벗어나 이야기하게 되면 논리의 비약이 일어나고 논점에서 벗어나게 된다. 다음으로 적절하고 타당한 근거를 제시해 일관성 있게 논리를 전개해야 한다. 자신의 주장에 대한 객관적이고 의미 있는 근거를 제시해야 하며 제시된 주장과 논거 등이 인과적으로 잘 조직되어야 한다. 마지막으로 글의 논리적 구성에 유의해야 한다. 특히 접속어와 지시어의 경우 문장과 문장, 문단과 문단 사이의 연결에서 긴밀성과 통합성을 높여주는 중요한 역할을 한다. 접속어는 전후 내용의 관계를 파악하는 데 도움을 주고, 지시어는 글 속의 대상이나 내용을 대신받아서 글을 간결하게 한다.

글에는 여러 유형이 있지만 기본적으로 대부분의 글은 다른 사람을 설득시키는 데 그 목적이 있다. 여기에서 설득은 어떠한 주장과 연결되어 있고 주장은 다시 어떤 현상이나 문제와 이어져 있다. 즉 글은 어떤 문제에 대한 주장으로 누군가를 설득하는 것이다.

이때의 문제나 현상은 단순한 것이 아니라 개선과 변화가 필요한 경우일 것이다. 따라서 문제나 현상에 대한 원인 분석이나 앞으로 끼칠 영향의 분석 또는 기존 논의의 한계 파악 등이 뒤따라야 한다. 그러면 자연스럽게 해결 방안이 도출될 수 있다.

문제논의	문제해결
■ 영향 분석 ■ 기조 논의 분석 ■ 비교 대조	■ 해결 방안 모색

가. 원인 분석

　문제의 해결을 위해서는 우선 문제가 발생하게 된 원인에 대한 분석이 이루어져야 한다. 여기에서 원인을 분석한다는 것은 문제가 된 사건이나 결과를 초래한 원인을 밝히는 것이다. 그러한 원인에 대한 분석은 다양한 관점에서 시도될수록 좋다. 하나의 원인만을 제시하면 글이 밋밋할 수 있고 관점을 달리하면 문제가 되지 않을 수도 있는 것이다. 종합적으로 판단해야 문제의 본질을 잘 이해할 수 있다.

　하지만 문제에 대한 다양한 원인 분석을 모두 글로 드러낼 필요는 없다. 문제에 대한 원인을 분석한 다음 불필요한 내용은 빼고 핵심적인 사안만을 선별해 글을 쓰는 것이 좋다. 문제와 관련이 없거나 중요하지 않는 곁가지들을 함께 다루다 보면 글에 대한 완성도를 떨어뜨릴 수 있으며 읽는이를 지루하게 만들 수 있다.

지역감정의 원인에 대해서 알아보자.

- 정치적인 면: 정치인들의 정략에 따라 특정 지역의 주민들이 영향을 받게 된다.
- 경제적인 면: 특정 지역으로 부의 불균형이 일어남으로 일부 지역 주민들의 상대적 박탈감이 형성된다.
- 사회적인 면: 혈연, 지연 중심의 사회생활이 지배적인 편이어서 집단적 동류의식과 배타의식이 강하다
- 문화적인 면: 문화가 서울에 집중됨에 따라 지방의 문화나 풍습이 무시되는 경향이 있다.
- 기타: 역사적으로 볼 때, 특정 지역에 사는 사람들에게는 피해의식이 잠재되어 있을 것이다.

나. 영향 분석

원인 분석과 함께 문제에서 파생되는 다양한 영향들을 보여줌으로써 글을 전개하는 방식도 있다. 파생되는 영향을 이야기하며 글이 가지고 있는 주제의 중요성을 읽는이에게 납득시킬 수 있다. 문제에 대한 다양한 영향 분석을 통해서 위험에 대비하는 문제의식을 공고히 하고 문제해결을 위해 힘을 모을 수 있다. 원인 분석과 마찬가지로 다양한 영향 분석이 나오면 그것을 적절히 선별 또는 분류하여, 주장의 근거로 활용해야 한다.

'시장개방'이 미치는 영향에 대해서 알아보자.

- 정치적 차원: 세계화 시대에 여러 국가들과 우호적인 관계를 형성하여 상호 교류를 이룸으로써 국제적인 고립에서 벗어날 수 있으나, 외압에 굴복할 수도 있다.
- 경제적 차원: 더 좋은 제품이 공급될 수 있으나, 선진국의 상품에 밀려 기반이 약한 국내 산업이 위축될 수 있다.
- 사회적 차원: 소비자의 다양한 욕구를 충족시켜 줄 수 있으나, 자국 물건에 대한 불신감이 팽배해 질 수 있다.
- 문화적 차원: 다양한 선진 문화를 접할 기회가 많아지나, 상대적으로 정비되지 못한 우리 문화가 위축될 우려가 있다.

다. 기존 논의 분석

기존의 논의에 대한 비판적 분석은 문제의식에 구체적으로 접근할 수 있는 하나의 방법이다. 비판적 분석의 한 예로는 글쓴이가 주장하고자 하는 내용에 반대하는 사람의 논거를 들어서 비판하는 것이다. 이를 통해서 글쓴이는 자신의 문제의식을 분명하고 확실히 전달할 수 있다. 기존 논의에 대한 비판적 분석의 접근 방법은 개념을 달리 해석하거나, 이론과 현실을 비교하여 제시하거나, 결과를 달리 해석하는 것이 있다. 글쓴이의 비판적 근거는 기존 논의의 근거보다 본질적이고 보편적이며, 타당한 것이어야 한다.

박홍 총장이 문제의 발언을 한 것은 94년 7월 19일 청와대에서 열린 김영삼 대통령과 전국 14개 대학 총장들과의 오찬에서였다. 그는 그 자리에서 "학생 운동권 배후에 사노맹 사노총 김정일이 있다. 그들은 북한 『노동신문』이나 팩시밀리를 통해 지령을 받는다"는 발언을 했다. 이 발언은 모든 신문들의 1면에 크게 보도되었으며, 일부 신문에서는 좌경 학생에게 단호한 조치를 취하겠다는 김대통령의 발언을 압도적인 비중으로 다루었다.

학생운동권이 좌경화되어 있다는 건 많은 사람들이 어렴풋하게나마 알고 있었지만, 그들이 북한의 지령에 따라 움직인다고는 생각하지 않았었다. 그런데 박총장의 발언은 전혀 새로운 사실을 밝힌 것이니, 많은 사람들이 충격을 받은 것도 무리가 아니다.

… 중략 …

놀라운 일이 아닐 수 없다. 박총장의 선의를 믿어 의심치 않는다 해도, 단지 사회적 경각심을 높이기 위해 뚜렷한 증거도 없이 특정 집단에 대해 그렇게 함부로 말해도 되는 것일까. 우리 사회에서 "북한의 지령을 받는다"는 말이 무엇을 의미하는지 그 발언의 파장에 대해선 한번도 생각해 본적이 없단 말일까. 아니면 좌경세력을 척결하기 위해 오히려 그런 파장을 노렸다는 것일까. 좌경세력에 대해서만큼은 법이 아닌 여론재판으로 응징해야 한다는 것일까.

- 강준만, 「공안정국, 매카시즘, 그리고 박홍 - 한국언론의 '국가안보 상업주의'」

라. 비교 대조

비교는 둘 이상 사물이나 현상에서 공통점이나 유사점, 차이점을 찾아내는 것이고, 대조는 주로 차이점을 발견해내는 것이다. 비교와 대조는 자신의 주장을 증명하기 위해서 주어진 문제에 대한 공통점과 차이점을 밝혀내어 활용하는 방법이다. 현대사회에서 발생하는 많은 사건이나 현상들은 다양한 관점에서 바라보는 것이 필요하다. 꼼꼼하고 다양한 분석을 통해 장점과 단점, 공통점과 차이점을 살피고 제시할 경우 글의 객관성과 타당성을 보다 더 확보할 수 있을 것이다.

> 인터넷에는 장점과 단점이 있다. 인터넷을 통해 많은 필요한 정보를 얻고 보다 편리한 생활을 할 수 있으며, 시간과 공간을 초월하여 다양한 사람들과 의사소통을 할 수 있다. 하지만 정상적인 생활이 불가능할 정도로 인터넷에 중독되는 사람들이 급격히 늘어나고 있으며, 인간의 이기인 인터넷의 편리함을 해킹이나 다른 범죄에 활용하는 등 부작용도 많이 발생하고 있다.

마. 해결 방안 모색

대부분의 글쓰기의 목적이 다른 사람을 설득시키는 데 있다면 이것은 주제에 대한 문제 해결을 전제로 한다. 글쓴이는 본론에서 자신의 문제의식에 대한 다양한 해결책을 보여주어야 한다. 글은 본론을 통해서 문제의 구체적이고 핵심적인 원인을 분석하고 이를 바탕으로 효과적이고 의미 있는 해결 방안을 제시해야 한다. 해결 방안은 근본 원인을 제거하는 것일 수도 있고 파급되는 영향을 최소화할 수 있는 대안을 제시하는 것처럼 간접적인 해결 방안일 수도 있다.

가장 근본적인 대책은 정부의 몸집과 힘을 줄이는 것이다. 정부가 시장 위에 군림하는 한, 관리라는 직업의 매력은 여전히 클 것이고 뛰어난 재능을 가진 젊은이들이 고시를 준비하게 될 것이다. 물론 정부의 몸집과 힘을 줄이는 것은 시장 경제 체제인 우리 사회에서 무엇보다도 중요한 개혁이다.

보다 직접적이고 쉽게 실행할 수 있는 대책은 고등 교육에 대한 규제를 완화하는 것이다. 학과들의 종류와 정원을 엄격하게 묶어놓은 탓에, 대학들은 그 동안 사회 환경의 변화에 제대로 대응할 수 없었고 직업 시장에서 팔리지 않는 학위들을 많이 생산했다. 만일 대학들이 학과들의 종류와 정원을 자유롭게 바꿀 수 있다면, 직업 시장에서 바라지 않는 학위들을 가진 젊은이들은 많이 줄어들고, 자연히 고시를 준비하는 이들도 줄어들 것이다.

가장 시급한 대책은 그러나 노동시장의 자유화다. 지금 노동법은 너무 경직돼서, 기업들이 덜 필요한 종업원들을 내보내고 꼭 필요한 젊은이들을 받아들이는 것은 실질적으로 불가능하다. 이런 사정은 젊은이들에게 너무 불리하다.

- 복거일, 「'고시 열풍'에 대한 처방」, 『동화를 위한 계산』.

3. 결론 쓰기

결론은 글을 마무리하고 자기의 생각을 한 번 더 강조하는 역할을 한다. 결론은 서론이나 본론에 비해 비교적 덜 중요하다고 여기는 경우가 많다. 그래서인지 학생들의 글을 보면 결론은 한두 문장으로 끝내거나 결론을 쓰지 않기도 한다.

■ 본론 요약하기

본론 요약하기는 일반적으로 가장 많이 사용하는 결론쓰기 방식이다. 그러나 이 방법은 본론의 내용을 한 번 더 제시하기 때문에 글이 반복된다는 느낌을 줄 수 있다. 짧은 글의 경우 전체적으로 짜임새가 있어야 하므로 같은 내용이 반복되고 있다는 인상을 주는 것은 좋지 않다. 그러므로 본론의 핵심적인 내용을 환기하는 차원에서 간결하게 요약될 수 있도록 해야 한다.

■ 명언이나 속담 활용하기

서론에서와 마찬가지로 결론에서도 명언이나 속담을 활용해 글을 효과적으로 마무리할 수 있다. 다만 서론과 결론에서 두 번 명언이나 속담을 활용하는 것은 피하는 것이 좋다. 또한 우리 사회에서 자주 애용한 탓에 상투적인 표현이 된 것이라면 효과가 크지 않을 수 있다.

■ 문제 상황 강조하기

결론에서 대안이나 해결책을 제시해야 한다고 생각하는 경우가 많다. 하지만 대안이나 해결책이 뚜렷하게 나오지 않는다면 문제를 한 번 더 강조하는 것도 효과적이다. 읽는이에게 문제의 심각성을 말하고 관심을 끌어낸다는 점에서 문제적인 상황을 강조하는 것이다. 대안을 말하기 어렵거나 다소 현실성이 부족한 경우에 쓸 수 있다.

■ 질문하면서 결론 끌어내기

독자의 주의를 환기시키기 위해 질문을 하며 결론을 마무리할 수 있다. 결론에 들어가기 전에 간단히 질문을 던져 관심을 유도하는 것이다. 다만 질문이 상투적이라면 효과가 크지 않을 수 있다.

✔ 연습문제

아래의 개요를 참고하여 글의 빈 단락을 작성해 보자.

① 개요

서론

1. 도입-자연을 훼손하지 않는 생태문학적 문명에 대한 모색

   헬레나 노르베르 호지는 서구 문명이 개발을 시작하면서 한 공동체를 훼손해가는 과정을 『오래된 미래』라는 책에 그리면서 자연을 훼손하지 않는 생태학적 문명을 모색한다.

2. 문제 제기-우리에게 필요한 삶의 자세

   호지의 이러한 메시지는 개발이 야기한 환경 파괴로 인해 생존이 위험의 수위에 이르게 된 현대인의 삶의 양식에 비판과 반성의 여지를 제공한다.

본론 1 시분석과 쟁점도출-물질적 풍요와 환경 파괴에 대한 비판

- 제시문의 시들은 현대사회의 커다란 문제점 두 가지를 지적하고 있다. 첫 번째 시는 인간은 가난에도 자족할 수 있음을 역설하고 있다.

- 두 번째 시는 환경 문제를 다루고 있다.

본론 2 두 시의 연관 관계와 삶의 위기의 원인

- 이 두 시는 논리적 연관 관계를 가지고 있다. 즉 첫 번째 시에서 비판하고 있는 물질적 풍요의 추구는 두 번째 시에서 경고하는 환경 문제의 원인이 되는 것이다.

- 실제로 물질적 풍요를 모든 가치 위에 올려놓는 현대 자본주의 사회에서의 생활 양태는 대량생산, 대량소비의 생활 패턴을 정착시킴으로써 자연의 파괴를 가속화시키고 있다.

본론 3 바람직한 삶의 자세

- 환경 파괴를 막고 산업문명의 폐해를 극복하기 위해서는 인간중심적인 물질문명을 극복하고 자연을 대상으로 바라보는 시각에 대한 근본적인 성찰이 필요하다.

결론

환경친화적 삶의 필요성

이와 같은 파괴적이고 낭비적인 성장 추세를 막기 위해 빠른 시일 내에 인간과 자연이 공존할 수 있는 삶에 대한 새로운 철학의 토대가 마련되어야 한다.

② 글

헬레나 노르베르 호지는 서구 문명이 개발을 하게 되면서 한 공동체를 훼손해가는 과정을 『오래된 미래』라는 책에 그리면서 자연을 훼손하지 않는 생태학적 문명을 모색한다. 근본적으로 지속가능한 토대 위에 서 있는 문화가 불행하게도 서구식 산업화의 욕망적인 개발에 의해 크게 파손되고 있지만, 그럼에도 불구하고 그 사회에는 하나의 모범적인 재조직의 가능성이 존재하고 있다고 호지는 밝힌다. 그것은 산업문명의 욕망으로부터 벗어나 인간의 구체적 필요와 기본적 욕구에 부응하는 진정한 의미의 자립적인 경제와 문화를 성립하는 것이다. 호지의 이러한 메시지는 개발로 인한 환경 파괴로 생존이 위험 수위에 이르게된 현대인의 삶의 양식에 대해 비판과 반성의 여지를 제공한다.

제시문의 시들은 현대사회의 커다란 문제점 두 가지를 지적하고 있다. 첫 번째 시는 인간은 가난해도 자족할 수 있음을 역설하고 있다. 시의 화자는 부의 축적을 위해 전전긍긍하는 현대인의 삶보다는 '예금 통장이 없는' 햇빛에 자신을 동화시키며 만족한다. 가난에 대한 그의 서러움은 '내일 아침 일'에 대한 걱정 이상을 넘어서지 않는다. '한 잔 커피와 갑 속의 두둑한 담배/해장을 하고도 커피값이 남는' 정도의 삶에 만족하는 시인의 목소리는 기준 없이 더 많은 부만을 추구하는 현대인의 삶의 양태를 조용히 비판하고 있다. 두 번째 시는 환경 문제를 다루고 있다. 인간의 환경 파괴가 계속 될 때 제일 먼저 피해를 받는 것은 동식물이지만, '주위의 친구들/하나둘씩 병으로 죽어 없어지'는 단계, 곧 인간이 피해를 입는 것은 피할 수 없는 일이다. 그뿐 아니라 '지구마저 흙도 돌도/물도 공기도 마저 다 죽'으리라는 예언은 한때의 이익을 추구하기 위해 환경 파괴를 서슴치 않는 인간에 대한 심각한 경고의 메시지를 담고 있다.

과학자들은 비관적인 전망에서 현재의 추세대로 개발이 진행될 경우 지구의 성장은 100년 이내에 한계에 다다를 것이라고 말한다. 성장의 한계는 곧 걷잡을 수 없는 인구 및 산업 생산의 감소를 빚어내고 이는 인간사회의 근거를 붕괴시키며 생태계를 비롯한 생명 지원체계를 파괴할 것이다. 이와 같은 파괴적이고 낭비적인 성장 추세를 막기 위해 빠른 시일 내에 인간과 자연이 공존할 수 있는 삶에 대한 새로운 철학의 토대가 마련되어야 한다. 인간의 기본적 수요를 충족하고 개개인의 인간적 소질을 실현할 수 있는 환경 및 경제적 안정 상태를 이룩하는 길이야말로 환경 파괴가 불러올 전 지구적 파국에서 인간을 지키는 방법일 것이다.

✔ 학습 활동

1. 여행을 가기 싫어하는 친구나 애인과 함께 여행을 가기 위해 설득할 때 어떤 이야
   기로 시작할지 써보자.

_____

_____

_____

_____

_____

_____

_____

_____

_____

_____

_____

_____

_____

_____

_____

_____

_____

_____

_____

_____

_____

_____

2. 가난한 사람과 부유한 사람의 삶의 모습에 대해 최대한 많이 적어보자.

3. 자신이 실제로 참여했던 모임이나 가상의 모임을 상상한 후 그 모임의 마지막
   인사를 써보자.

4. 당신은 오늘 연인과 데이트를 끝내고 집에 왔는데 연인으로부터 이별과 내일 유학을 떠난다는 통보를 받는다. 이 문자를 받기까지 둘 사이에 일어났을 일들과 연애의 과정에 대해서 써보자.

_____

_____

_____

_____

_____

_____

_____

_____

_____

_____

_____

_____

_____

_____

_____

_____

_____

_____

_____

_____

제 5 장
전략적 글쓰기 2

※ 학습목표

1. 한 가지 뜻이 분명하게 전달될 수 있도록 문장을 쓸 수 있다.

2. 구체적이고 간결하게 문장을 쓸 수 있다.

3. 문장 성분간 호응이 되는 올바른 문장을 쓸 수 있다.

1. 문장 쓰기

국어 문장에는 하나의 주어와 서술어로 구성된 홑문장과 둘 이상의 주어와 서술어로 구성된 겹문장이 있다. 글쓴이는 홑문장과 겹문장을 적절히 사용하여 문단을 구성한다. 더불어 문단이 모여서 한편의 글이 되어 글쓴이의 생각을 전달하게 된다. 하지만 글쓴이가 올바른 문장을 사용하지 않을 경우, 자신의 생각을 읽는 이에게 전달하는 데 문제가 발생하게 된다. 글의 중심생각을 전달하는 데 있어서 가장 기본이 되는 것이 올바른 문장 쓰기라 할 수 있다.

글쓰기에서 올바른 문장만을 쓰기는 어렵다. 글쓴이는 올바른 문장을 쓰기 위해서 글을 쓰기 전에 자신이 표현하고자 하는 내용을 분명히 정리해 보고, 글을 쓰고 난 후에 항상 비문법적이고 명료하지 못한 문장을 점검하는 습관을 가져야 한다.

가. 문장을 짧게 쓰기

글을 쓸 때 문장 길이에 어떤 제한이 있는 것은 아니다. 말하고자 하는 내용과 목적에 따라 길이는 달라진다. 짧은 문장은 짧아서 이해하기 쉬우며, 강하고 쾌활하고 분명해 보인다. 긴 문장은 한 주제를 중심으로 여러 내용을 담고 있어 부드럽고 꼼꼼해 보인다. 그러나 한 문장에 여러 내용을 담기 때문에, 논리를 세우기 어렵고 논점을 벗어나기 쉽다.

문장이 자꾸 길어지는 것은 전달하려고 하는 정보를 한 문장에 많이 담으려고 하기 때문이다. 예를 들어 '운동장에서 학생들이 놀고 있다'라는 문장에 다른 정보를 덧보태면 '넓은 운동장에서 많은 학생들이 함께 어울려 아주 신나게 놀고 있다'처럼 길어진다.

문장 구조가 복잡하면 문맥이 늘어져서 전달하고자 하는 내용이 무엇인지 파악하기 어렵다. 긴 문장은 주술 관계가 호응하지 않아 문장의 완결성과 통일성을 유지하기 어렵다. 또 문장이 길면 읽는이를 지루하게 만들기 쉽다. 문장이 복잡해져도 책을 잘 읽는 사람은 정보를 잘 찾아낸다. 그러나 잘 쓴 글이란 개별적인 독서 능력에 상관없이 정보를 빨리 받아들일 수 있도록 서술한 글이다.

그러므로 되도록이면 한 문장에는 한 가지의 생각만 담되, 한 문장을 40자 안팎으로 쓰는 것이 좋다. 문장이 길어지더라도 60자를 넘지 말아야 한다. 아주 짧은 문장만 늘어놓아 글이 딱딱해지면, 내용에 따라 성격이 비슷한 앞뒤 문장을 하나로 묶어서, 문장 길이에 변화를 준다.

✔ 연습문제

다음 긴 문장을 짧은 여러 문장으로 다시 써보자.

① 조직 생활에서 만날 수밖에 없는 사람들과의 갈등과 그로 인한 인간에 대한 미움과 불신에서 벗어나 사람에 대한 사랑을 배우고 실천하려는 의지를 갖게 된 것이 산과 자연에 대한 사랑에서 비롯한 것인 만큼 산은 내 생활에서 소중한 선생님이었다.

② 최근 우리나라 혈액 수요가 급증 추세에 있으나 국민 헌혈량은 5% 전후임에 따라 대부분 혈액을 수입에 의존하고 있는 형편이며 특히 하절기와 동절기에는 학생 헌혈이 줄어듦으로써 혈액 확보에 어려움이 많다.

③ 그러한 장소로는 오락실, 당구장, 노래방 등이 있으며 그 중에서 학생들이 특히 많이 가는 곳이 오락실인데, 스트레스를 푼다는 이유로 가지만, 오락을 잘해야 스트레스가 풀리지, 못해서 계속 돈만 쓴다면 스트레스만 더욱 쌓이고, 돈 낭비와 시간 낭비에 시력저하밖에는 남는 것이 없다.

(다듬은 문장)

① 조직 생활에서 사람들과 만나 갈등이 생겼다. 그 때문에 인간을 미워하고 불신하였다. 그러나 산과 자연을 사랑하면서 사람 사랑하는 법을 배우고 사랑을 실천하려는 의지를 갖게 되었다. 산은 내 생활에서 소중한 선생님이었다.

② 최근 우리나라 혈액 수요가 급증하고 있다. 그러나 국민 헌혈량은 5% 전후이다. 그래서 대부분 혈액을 수입에 의존하고 있다. 특히 하절기와 ~ 어려움이 많다.

③ 그러한 장소로는 오락실, 당구장, 노래방 등이 있다. 그 중에서 학생들이 특히 많이 가는 곳이 오락실이다. 물론 스트레스를 푼다는 이유로 간다. 하지만 오락을 잘해야 스트레스가 풀리지, 못해서 계속 돈만 쓴다면 스트레스가 더욱 쌓일 것이다. 결국 돈과 시간을 쓰고도 시력 저하밖에는 남는 것이 없다.

나. 정확하게 쓰기

문장의 의미는 읽는이에게 명확하게 파악될수록 좋다. 한 문장이 두 가지 이상의 의미로 해석된다면 불필요한 오해를 사기 쉽고 심지어는 갈등을 유발할 수 있다. 이를 흔히 중의문이라고 하는데 좋은 문장에서는 반드시 피해야 한다. 따라서 글을 쓸 때는 자신이 원하는 의도가 잘 전달되고 있는지를 반드시 검토하는 과정이 필요하다. 문장을 짧고 간결하게 쓰는 이유도 여기에 있다. 문장이 짧으면 중의적으로 해석될 가능성이 줄어든다. 그런데 대부분의 사람들은 생각나는 대로 쓰다 긴 문장을 만드는 경우가 많다. 문장을 길게 쓰면 읽는 사람의 입장에서는 어떤 것이 글쓴이의 의도인지 파악하기 어렵다. 글을 쓰는 사람은 자신의 습관을 파악하고 긴 문장을 짧게 나누는 훈련을 하는 것도 필요하다.

① 아름다운 새들의 노래 소리가 들려온다.
② 나는 어제 나와 이름이 같은 친구의 형을 만났다.
③ 사람들이 많은 도시를 다녀 보면 재미있는 일이 많을 것이다.

①은 '아름다운'이 '새'를 수식하느냐, '노래 소리'를 수식하느냐에 따라 중의적으로 해석될 수 있다. ②도 '이름이 같은'이 '친구'를 수식하느냐, '친구의 형'을 수식하느냐에 따라 중의적으로 해석된다. ③의 경우 '사람들이'를 '많은'의 주어로 해석하거나, '다녀 보면'의 주어로 해석하느냐에 따라 내용이 달라진다.

(다듬은 문장)

① 아름다운 새들이 부르는 노래 소리가 들려온다.

   새들의 아름다운 노래 소리가 들려온다.

② 나는 어제 친구의 형을 만났는데 그 친구는 나와 이름이 같다.

   나는 어제 친구의 형을 만났는데 그 형은 나와 이름이 같다.

③ 사람들이, 많은 도시를 다녀 보면 재미있는 일이 많을 것이다.

   인구가 많은 도시를 다녀보면 재미있는 일이 많을 것이다.

2. 올바른 문장 구성

가. 주어, 목적어, 서술어 호응시키기

우리말에서는 맨 처음에 주어를 놓고 그 다음에 목적어/보어, 서술어를 놓는다. 그러므로 '지수가 빵을 먹었다'와 '빵이 지수를 먹었다'가 문법으로 따지면 정상이다. 그러나 사람들이 앞 문장만 옳다고 하는 것은 서술어 '먹었다'의 주체가 당연히 '지수(사람)'이고, 대상(목적)이 '빵'이기 때문이다. 사람과 빵을 구별할 줄만 알면 아이들도 뒤 문장처럼 쓰지 않는다. 이때 앞 문장에서 '지수가(주어)'와 '먹었다(서술어)'를 서로 호응한다고 하며, 뒤에 있는 문장에 '빵(주어)'과 '먹었다(서술어)'는 호응하지 않는다고 한다.

글에서는 주어가 없거나 목적어, 서술어가 없으면 글을 이해하기 어렵다. 그러므로 문장이 길어질 때는 문장의 주체를 분명히 해야 어느 주어가 어느 서술어와 호응하는지 알 수 있다. 이런 실수는 문장을 짧게 하면 쉽게 해결된다. 그리고 사물을 주어로 쓰는 것은 영어식이니, 사물을 주어로 쓰지 않아야 헷갈리지 않는다.

만약 문장이 길어지면 주어와 서술어 사이에 다른 말을 '많이' 넣지 말아야 한다. 문장이 복잡할 때는 생략한 주어와 목적어를 한 번 더 써주어야 의미를 뚜렷하게 전달할 수 있다. 즉, 우리가 말을 할 때 생략하더라도 글을 쓸 때는 주어와 목적어, 그리고 술어 등을 밝히는 것이 좋다.

① 휘발유 값이 또다시 내렸다.
② 원인은 정부가 국민을 위해 주지 못하는 데 있는 것 같았고, 속이 부글부글 끓어올랐다.
③ 경찰은 전경을 조계사 경내로 투입해 총무원 진입을 시도하던 승려들을 해산했다.
④ 잡음이나 화면이 멈칫거리는 일이 없다면 본인의 전화선 상태가 좋은 것입니다.
⑤ 그러면 왜 그렇게 우리의 환경이 파괴되었으며, 또 우리가 알아야할 자연보호의 진정한 의미와 그 필요성 여부에 대해서 알아보도록 하겠다.

①은 '물주(物主) 구문'이다. 주격 조사 '이/가'를 붙이는 바람에 서술어와 호응하지 않는다. ②-③에서는 두 문장을 연결하면서 주체의 일관성을 잃었다. ②는 '정부'가 '속이 부글부글 끓어 올랐다'의 주어인 것처럼 보인다. ③은 주어와 서술어만 남기면 '경찰은 ~투입해 ~해산했다'가 되어 '승려'를 해산시키는 것이 아니라 '경찰이' 해산한 꼴이 되고 만다. ④는 '잡음'과 '화면이 멈칫거리는 일'을 '없다면'이라는 서술어에 함께 걸려고 하다가 호응시키지 못하였다. ⑤에서는 '왜 ~파괴되었으며', '또 ~진정한 의미와', '그 필요성 여부' 세 개를 서술어 '알아보도록 하겠다'에 함께 걸려고 하였다. 안긴 문장(관형절)의 각 서술 부분을 같은 성질로 맞추어야 한다.

(다듬은 문장)

① 휘발유 값을 또다시 내렸다.

② 원인은 정부가 국민을 위해 주지 못하는 데 있는 것 같았다. 그래서 내 속이 부글
부글 끓어 올랐다.

③ 경찰은 전경을 조계사 경내로 투입해 총무원 진입을 시도하던 승려들을 해산시
켰다.

④ 잡음이나 화면 멈춤이 없다면 본인의 전화선 상태가 좋은 것입니다.

⑤ 그러면 왜 그렇게 우리의 환경이 파괴되었으며, 또 우리가 알아야할 자연보호의
진정한 의미는 무엇이며, 그 필요성이 있는지 없는지를 알아보도록 하겠다.

✔ **연습문제**

다음 문장을 주어와 목적어, 서술어의 호응이 자연스럽게 이루어지도록 다듬어 보자.

① 단체가 난립하고 경쟁하여 발생했다.

② 적어도 이번 일로 초래된 업무 정지와 유통 질서를 마비시킨 책임을 져야 한다.

③ 이 상표는 지난해부터 우리 회사에서 개발하여 전 상품에 부착하였습니다.

_____

_____

_____

_____

_____

_____

_____

나. 수식관계를 명확하게 하기

우리말에는 다양한 수식어가 존재한다. 문장 안에서 올바른 수식어의 사용은 구성요소들 사이에 명확한 지시 관계를 드러나게 한다. 명확한 지시 관계가 드러나지 않으면 글쓴이의 의도가 분명하게 전달되지 않은 모호한 문장이 되기 쉽다. 문장 안에서 수식어의 위치가 잘못되었거나 중복되었을 때, 수식어가 지나치게 길어졌을 때 어색한 문장이 된다.

① 그녀의 옷에 대한 관심은 대단했다.
② 고등학교 때의 대학사회를 그리던 환상에서 벗어나 이제 새로운 각오로 새로운 인생을 개척해야겠다.

①은 '그녀의'가 수식하는 대상이 불분명하고, ②는 '고등학교 때의'가 수식하는 대상이 불분명하다.

(다듬은 문장)
① 옷에 대한 그녀의 관심은 대단했다.
② 대학사회를 그리던 고등학교 때의 환상에서 벗어나 이제 새로운 각오로 새로운 인생을 개척해야겠다.

다음 문장을 명확한 수식관계가 성립하는 문장으로 고쳐보자.

> ① 나는 철 지난 눈이 내린 바닷가를 거닐며 지난날을 회상했다.
> ② 그녀의 인생을 굴곡 있는 삶으로 이끌어 주던 생명력의 상징인 피아노를 연구하던 손은, '아다'에게 온통 매혹당한 나의 눈에는 비현실적으로 길고 하얗게 보였다.

_____

_____

_____

_____

_____

_____

다. 번역체 문장 삼가기

'이 사진은 당시의 상황을 잘 보여주고 있다.'라는 표현은 우리 주변에서 아주 흔하게 접할 수 있다. 사람이 아닌 물건이나 추상적인 개념이 주어가 되는 문장이 바로 외국어를 번역하는 과정에서 발생된 잘못된 우리말 표현이다. 우리말에서는 사람을 주어로 하여 표현하는 것이 자연스럽다. 따라서 앞서 예를 든 문장도 사람을 주어로 사용하여 '이 사진을 보고 당시의 상황을 잘 알 수 있다.'로 바꿔주는 것이 자연스런 우리말 표현이다.

다음은 흔히 쓰는 번역체 문장들이다. 참고하여 글을 쓸 때 유의해야 한다.

- 타인의 관점일 수 없습니다. (명사문의 남용)

  (➡타인의 관점이 아니다.)
- 그 사실은 나로 하여금 실망을 하게 하였다. (사물 주어 사용)

  (➡그 사실을 듣고 실망했다.)
- 내가 가진 고민 중의 하나는 성적이다. ('~가진'은 영어 have의 직역투, 사물 주어 사용)

  (➡나는 성적 때문에 고민하고 있다. 또는 좀 더 구체적으로 '나는 성적이 떨어져 고민하고 있다.' 혹은 '나는 공부한 만큼 성적이 오르지 않아 고민하고 있다.'로 바꾸는 것이 좋음)
- 그는 동네 사람들에 의해 신선이라고 불리워진다. (영어식 수동태 표현)

  (➡동네 사람들은 그를 신선이라고 부른다.)
- 이 현상은 환경 파괴에 따른 부작용에 다름 아니다. (일본어 표현을 직역하였음)

  (➡이 현상은 환경 파괴에 따른 부작용이다.)
- 그야말로 장편서사시에 값하는 것이다. (일본어 표현을 직역하였음)

  (➡그야말로 장편서사시가 될 만한 것이다.)
- 청소년 자살 방지를 위한 심리 상담이 있어야 한다. (불필요한 관형절 사용, 사물 주어 사용)

  (➡청소년 자살을 방지하기 위해 심리 상담을 해야 한다.)

✔ 학습 활동

1. 녹음기를 켜고 친구들과의 대화를 녹음해 보자.

〈취업〉〈연애〉〈결혼〉〈여행〉 등 관심 있는 주제를 선정해 10분간 이야기하고 그 대화를 채록하자.(스마트폰이나 컴퓨터의 다양한 AI 프로그램을 활용하자.) 자신이 자주 하는 말, 대화의 태도, 상대방에 대한 배려 등을 종합적으로 평가해 보자.

2. 이 수업을 지도하고 있는 교수의 강의 습관이나 말투, 자주하는 제스처 등을 묘사
   해 보자.

_____

_____

_____

_____

_____

_____

_____

_____

_____

_____

3. 자신이 좋아하는 드라마나 영화를 소개하는 글을 써 보자.

_____

_____

_____

_____

_____

_____

_____

_____

_____

_____

제6장

의미 파악하기

※ **학습목표**

1. 글의 의미를 정확히 이해하고 주제를 도출할 수 있다
2. 글을 읽고 비판적 관점에서 문제점을 찾을 수 있다.
3. 자신만의 견해와 대안을 제시할 수 있다.

좋은 글을 쓰기 위해서는 조사한 자료나 글을 읽고 그 의미를 제대로 이해할 수 있어야 한다.

세심한 읽기를 통해서 지식과 정보뿐만 아니라 다양한 표현기법을 습득할 수 있다. 나아가 좋은 글이 가지고 있는 구조와 흐름도 익힐 수 있다. 글을 정확하게 읽는 훈련을 통해서 주어진 자료를 분석하고 요약하여 자신의 주장을 효과적으로 전개하는 능력을 키울 수 있다.

좋은 글이란 주장이 분명하고, 이해를 돕는 다양한 예시가 있어야 한다. 문장도 군더더기 없이 깔끔해야 하며, 논지 전개 역시 논리적이어야 한다. 여기에 자신만의 창의적 표현이나 비판적 시각이 들어가면 금상첨화이다. 좋은 글을 쓰기 위해서는 무엇보다 좋은 글을 많이 읽는 것이 필요하다. 다른 사람이 쓴 글을 읽으면서 자연스럽게 좋은 글을 쓰는 습관을 들일 수 있다.

글 읽는 훈련은 다른 글을 읽으면서 분석하고 요약하는 것이 핵심이다. 글 속에 숨은 주제나 의미를 찾다보면 자연스럽게 글쓰기 능력이 향상될 것이다. 분석은 글의 중요한 내용과 주변적인 내용을 구분하는 것이다. 불필요한 부분을 넘어가고 그 글의 요지를 추려내는 작업이 분석이다. 요약은 이를 글로 쓰는 작업이라 할 수 있다.

즉 분석이 글을 부분으로 나누어서 각각의 중요성을 따지는 것이라면, 요약은 중요한 부분들을 합쳐서 하나로 만드는 작업이다. 분석과 요약 작업은 글을 부분으로 나눠 논리적 구조를 확인하고 핵심 내용을 재구성하는 입체적인 과정인 것이다.

여기에 마지막으로 자신의 생각이나 주장을 제기하면 한 편의 글을 읽는 작업이 완성된다. 독서도 일종의 대화이다. 작가가 쓴 글의 의미를 파악하는 것은 중요하지만 거기에서 멈추면 안 된다. 작가도 자신의 생각이나 주장을 쓴 것이므로 독자 역시 자신의 생각이나 주장을 표현해야 한다.

1. 의미 파악하기

올바른 읽기는 글이 가지고 있는 의미를 정확히 이해하고 핵심 주제를 잘 파악하는 것이다. 글을 읽고 그 의미를 알아내는 것은 크게 어렵지 않다. 우선 주어진 글을 세심하게 읽고 각각의 의미를 분석해 이를 참고로 전체 의미를 파악하면 된다.

가. 요약하기

독서를 통해 파악한 의미를 지식으로 만들기 위해서는 글이 말하고자 하는 핵심을 정리할 줄 알아야 한다. 인간의 기억에는 한계가 있어서 자신이 읽은 글이 짧더라도 전체를 다 기억하기는 어렵다. 책을 읽고 기억한다는 것은 핵심 내용이나 주제를 기억하는 것을 의미한다. 중요 내용을 추리면 논리적이고 체계적인 구성이 쉬워서 기억하기에 더 용이하다.

요약하기의 출발은 문단이다. 문단도 중요한 내용과 주변적인 내용으로 구성되어 있으므로 문단의 핵심 내용을 추출하며 글 전체로 나아가는 방법이 효과적이다. 문단별 중심 내용을 찾아 이 내용을 모아 조합하는 것이 요약하기이다.

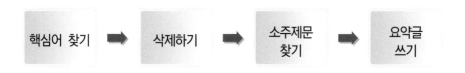

나. 소주제문 찾기

문단은 소주제문과 그를 뒷받침하는 문장으로 이루어진다. 소주제문을 중심으로 문단의 중심 내용이 기술된다. 따라서 소주제문을 찾는 일은 그 문단의 주요 의미를 찾는 활동과 매우 유사하다. 글은 각각의 문단들이 모여 이루어지고 문단에는 대부분 그 문단의 핵심 내용을 담고 있는 소주제문들이 들어 있다. 소주제문을 모으면 그 글의 전체 주제가 될 수 있기 때문에 소주제문 찾기는 매우 중요하다.

그럼 문단에서 어떻게 소주제문을 찾아야 할까? 소주제문은 일반적으로 가장 포괄적인 의미를 담고 있거나 글쓴이의 생각과 주장이 담긴 문장이다.

글은 크게 '사실'과 '의견'으로 나누어진다. 사실은 객관적 정보나 근거자료 등을 말하는데 이는 글쓴이의 의견을 정당화하고 독자를 설득하기 위한 것이다. 의견은 이 자료를 바탕으로 글쓴이가 주장하거나 생각하는 것이다. 글쓴이는 주장이나 생각을 강조하기 위해 객관적 사실들을 제시하는 것이다. 따라서 소주제문은 비교적 의견이나 주장 부분에서 찾아야 한다.

✔ 연습문제

다음의 예문을 통해 각 문단의 소주제문 찾기를 해 보자. 아울러 불필요하거나 중요하지 않은 문장을 삭제해 보자.

[예문]

(가) 사람은 사회적 존재이다. 사람이 사회생활을 제대로 누려 나가기 위해서는 끊임없이 다른 사람들과 어울려야 한다.

(나) 사람과 사람의 어울림에서 가장 중요한 역할을 하는 것은 언어이다. 언어는 생각과 느낌을 전달해 주는 도구로서, 사람들 사이의 관계를 형성시켜 줄 뿐 아니라, 사회를 보존하고 발전시키는 역할을 한다.

(다) 만일에 모든 사람이, 집안 식구들이나 이웃 사람들과 단 하루라도 말을 하지 않고 지낸다고 가정해 보자. 나아가서, 온 세계 인류가 하루 동안 완전히 의사소통을 중지한다고 생각해 보자. 아침에 일어나 꿀 먹은 벙어리처럼 멀뚱멀뚱 쳐다만 본다. 텔레비전도, 라디오도 침묵을 지킨다. 물론, 전화통도 울리지 않고, 신문도 배달되지 않는다. 이처럼 인간 사회에서 언어가 사라지고 나면, 결국 인간의 모든 활동은 마비되고 정지된다는 것을 우리는 쉽게 짐작할 수 있다.

_____

_____

_____

_____

_____

_____

_____

_____

다. 요약글 쓰기

요약은 글의 주요 내용을 정리해 기억을 쉽게 하도록 돕는 작업이다. 글 읽기가 서툰 사람이라면 요약 과정에서 어려움을 느끼기 쉽다. 중요 내용과 주변적 내용을 구분하지 않으면 요약을 할 수가 없다. 요약을 잘하려면 앞에서 말한 과정들을 단계적으로 훈련해야 한다. 그 중에서도 문단에서 중심 생각, 소주제를 파악해내는 일이 요약하기의 핵심이라 할 수 있다.

요약하기의 방법은 크게 두 가지가 있다. 우선 중심 생각만으로 요약문을 만들어 압축적인 핵심 주제문을 작성하는 방법이 있고 중심 생각과 밀접한 생각이나 근거자료들까지 포함하여 비교적 자세한 요약문을 만드는 방법이 있다.

요약을 할 때 흔히 하는 실수가 원문의 중요 부분만 발췌하여 고치지 않고 짜깁기하는 소위 모자이크식 방법이다. 요약은 또 하나의 글이다. 자신이 글의 내용을 완전히 이해하고 소화해야 완전한 요약이 될 수 있다. 글의 일부를 전혀 고치지 않고 그대로 뽑아서 모아놓는다면 연결도 어색하고 의미 파악도 어렵다.

✔ 연습문제

다음의 예문을 읽고 요약해 보자.

전통은 물론 과거로부터 이어 온 것을 말한다. 이 전통은 대체로 그 사회의 구성원인 개인의 몸에 배어 있는 것이다. 그러므로 스스로 깨닫지 못하는 사이에 전통은 우리의 현실에 작용하는 경우가 있다. 그러나 과거에 이어 온 것을 무턱대고 전통이라고 한다면, 인습이라는 것과의 구별이 서지 않을 것이다. 우리는 인습을 버려야 할 것이라고는 생각하지만, 계승해야 할 것이라고는 생각하지 않는다. 여기서 우리는, 과거에서 이어 온 것을 객관화하고, 이를 비판하는 입장에 서야 할 필요를 느끼게 된다. 그 비판을 통해서 현재의 문화 창조에 이바지할 수 있다고 생각되는 것만을 우리는 전통이라고 불러야 할 것이다. 이같이, 전통은 인습과 구별될 뿐만 아니라 단순한 유물과도 구별되어야 한다. 현재에 비추어 문화 창조와 관계가 없는 것을 우리는 문화적 전통이라고 부를 수 없기 때문이다.

위 글을 요약하기에 앞서 글을 그 중심 내용에 따라서 나눠보면 크게 4문단으로 나누어 볼 수 있다. 4개의 문단을 각각 요약하여 요약문을 만들어 보자.

전통은 과거로부터 무의식적으로 사회구성원에게 이어 온 것을 말한다. 그러나 그렇다 하여도 인습과는 다른 것이어서, 인습은 버리고 전통은 계승해야 할 것으로 생각하고 있다. 그러므로 우리는 과거로부터 이어 온 것을 객관화하고, 이를 비판하여 현재 문화 창조에 이바지할 수 있는 것만을 전통이라고 불러야 할 것이다. 또한 전통은 인습뿐만 아니라 유물과도 구분되어야 한다.

위의 요약문을 한 문장으로 요약해 보자.

_____

_____

_____

_____

_____

_____

_____

두 줄 이상이라면 이를 다시 한번 더 줄여보자.

_____

_____

_____

_____

_____

_____

_____

_____

_____

_____

_____

[예문 4]

생태적 위기로 요약되는 오늘의 사태를 극복하기 위해서 무엇보다 필요한 것은 결국 우리 각자가 자연스럽게 '나'보다는 '우리'를 먼저 생각하는 문화를 회복하는 일일 것이다. 생명의 문화라고 부를 수 있는 이러한 문화의 재건은 우리 각자의 인간적인 자기 쇄신 없이는 이루어질 수 없다. 따지고 보면, 현대 기술 문명의 기저에는 모든 것을 정복하고자 하는 인간의 교만이 완강하게 버티고 있다고 할 수 있다. 그러므로 자연의 도를 따르는 순리의 생활을 우습게 여기는 비이성적인 폭력이 끝없이 계속됨으로써 우리가 사는 세상이 자연적 환경이든, 인문적 환경이든 나날이 피폐해 가고 있는 것이 아닌가? 우리와 우리 자손들이 살아남아 진실로 사람다운 삶을 누릴 수 있게 하기 위하여, 우리는 진실로 협동적인 공동체를 만들고 상부상조의 사회관계를 회복하고 하늘과 땅의 이치에 따르는 순리의 생활을 새로이 조직하지 않으면 안 된다. 이러한 건강한 생활의 창조적 재조직이 가능하려면, 무엇보다도 먼저 우리 모두가 자기 자신을 내세우지 않은 겸손을 실천할 수 있어야 하고, 그러한 겸손에서 기쁨을 느낄 수 있는 정신적 자질을 갖추어야 할 것이다.

위의 예문을 세 문장 내지 네 문장으로 요약해 보자.

_____

_____

_____

_____

_____

_____

_____

_____

유의사항

■ 좋은 요약문의 기준

  – 중요한 주제나 주장의 핵심을 담고 있는가?

  – 글의 흐름에 따라 균형 있게 요약되었는가?

  – 요약문 자체가 한 편의 완결된 글이 되었는가?

  – 필자의 의도를 왜곡시키지 않았는가?

■ 좋지 않은 요약문

  – 글의 내용을 단순히 베끼거나 나열하는 경우, 또는 본문에서 중요하지 않은 내용을 요약한 경우

  – 주제문에 대한 세부 사항의 진술이 빠진 경우가 많아서 요약문의 긴밀성이 떨어진 경우

  – 주어진 글에 의하지 아니하고 자신의 임의적인 진술로 인해 주어진 내용과 어긋난 경우

  – 관련이 적은 정보 사이 무리한 결합으로 인해 요약문의 응집성을 떨어뜨리는 경우

2. 비판적 사고와 글쓰기

가. 비판적 사고란 무엇인가?

일반적으로 창의적 사고에 대한 사회적 요구는 매우 높은 편이지만 비판적 사고에 대해서는 그 중요성이 무시되고 있는 편이다. 그러나 창의적 사고와 비판적 사고는 매우 밀접한 관계를 가지고 있다. 비판적 사고는 창의적 사고로 가는 과정에서 반드시 필요하고 중요한 능력이라고 할 수 있다. 그렇다면 비판적 사고란 무엇일까?

비판적 사고 능력을 키우기 위해서는 우선 '비판'이라는 용어의 의미가 무엇인지 정확히 아는 것에서부터 출발해야 한다.

'비판'의 사전적 정의는 "사물의 옳고 그름을 가리어 판단하거나 밝힘"이다. 비판(critic)이라는 말은 '식별'을 의미하는 'kirticos'와 '선택하다, 논박하다, 평가하다' 등의 의미를 지닌 'krino'에서 유래한 것으로, 하나의 대상을 그것을 구성하고 있는 요소들로 나누고, 각각의 요소와 전체의 관련성을 밝혀 그 대상을 평가하는 것을 가리킨다. 따라서 글쓰기에서의 비판적 사고는 쟁점이 되는 주제에 대해 종합적이고 다각적으로 분석 평가하는 행위라 할 수 있다. 이러한 활동을 통해 어떤 주제나 쟁점들에 대해 더욱 폭넓게 이해하고 그동안 몰랐던 것을 발견할 수 있으며 앞으로 발생할 수 있는 문제들을 예측할 수 있다.

비판적 사고에서 핵심은 아무 생각 없이 받아들이는 것이 아니라 끊임없이 "왜?"라는 질문을 던지는 것이다. "왜?"라는 질문을 통해 어떤 주장이나 현상에 대해 받아들일지 또는 거부할지를 스스로 결정하는 것이다. 즉 스스로 자신의 결정과 그에 대한 납득할만한 근거를 찾아가는 과정이다.

반면 대부분의 사람들은 비판적 사고를 하지 않는다. 무비판적 사고는 상식이나 관행에 대해 별다른 의구심을 갖지 않는다. 남들이 하는 대로 따라 하는 것이나 유행에 동참하는 것도 무비판적 사고이다.

비판적 사고는 남들에게는 당연하고 상식적인 일들에 질문을 제기하는 것이다. 그러한 과정에서 문제를 발견하고 그것을 고치거나 개선할 수 있다. 물론 비판적 사고의 결과가 특별한 것이 없을 수 있다. 상식이나 관습도 나름대로의 이유나 근거는 있다. 그러나 비판적 사고가 없이 살아간다면 어느 순간 세상의 문제를 파악하는 능력 자체가 소멸될 수 있다. 그때는 잘못이 무엇인지 전혀 알지도 못한 채 살아가게 된다.

그러므로 비판적 사고에서 가장 중요한 것은 자기 자신을 비판의 대상으로 삼는 것이다. 자신의 비판적 사고 능력이 어느 정도인지를 파악해야 한다. 남들이 하는 대로 생각하고 말한다면 자신의 비판적 사고 능력은 매우 낮다고 할 수 있다. 비판적으로 사고하기 위해서는 자신이 보는 세계에 대해서 먼저 의문을 품어야 하지만, 그에 앞서 생각하고 바라보는 주체인 나 자신부터 먼저 반성해야 한다. 비판적 사고는 우선 자신이 가지고 있는 선입견과 편견, 고정관념, 신념 등 자기중심적 경향을 직시하고 고치는 것에서부터 시작된다. 비판적 사고는 당연하다고 생각하는 사회의 통념들에 질문을 제기하는 것이기 때문이다.

나. 비판적 사고의 중요성

사람들은 글쓰기를 통해 현상이나 사건의 관계를 올바르게 인식하고, 깊이 있게 이해하게 된다. 또한 글쓰기는 문제를 해결할 수 있는 창의적 방법과 서로를 이해할 수 있는 합리적 대안을 제시해준다. 자신의 생각을 논리적이고 객관적으로 구성할 수 있는 것도 글쓰기의 장점이다.

글쓰기를 통해 사회에서 일어나는 여러 문제들에 대해 자신의 관점과 생각을 정립할 수 있으며 동시에 타인의 생각을 받아들일 여유도 생긴다. 이처럼 글쓰기는 자신이 세상을 살면서 경험한 것들에 의미와 질서를 부여해 준다. 이러한 것들을 가능하게 하는 것이 바로 비판적 사고이다.

또한 비판적 사고는 창의성을 중시하고 정보와 지식의 활용이 강조되는 현대사회에서 가장 필요한 능력 중 하나이다. 현대사회를 움직이는 중심 자원이 자원 물질에서 정보로 대체되고, 창의성이 바탕이 된 고부가가치 상품이 등장하면서 사회가 요구하는 인재상도 바뀌고 있다. 이러한 사회에서 살아남으려면 고정관념이나 상식에서 벗어나 새로운 관점으로 세상을 보는 시각이 필요하다. 남이 하는 대로 기계적으로 따라하기만 하면 창의성을 키우는 것은 불가능하다. 또 다양한 사건이나 현상을 분석하고 종합하거나 의미 있는 정보를 선별하는 능력 역시 비판적 사고가 있어야 가능하다. 비판적 사고는 문제를 분석하고 핵심을 파악해 효과적인 대안을 제시하는데 꼭 필요한 능력이다.

다. 비판적 읽기의 실제

비판적 사고가 대상을 분석하고 숨은 의미를 밝힌다는 점에서 비판적 사고를 훈련하기에 적절한 대상 중 하나는 광고이다. 일반적으로 광고는 분명하고 객관적인 정보만을 제공할 것이라 생각하기 쉽다. 그러나 광고 텍스트에도 다양한 은유와 상징들이 숨어있다. 광고를 보는 사람들은 광고 속에 함축된 의미를 해석할 수 있어야 그 광고의 숨은 의도를 파악할 수 있다.

또한 광고는 극히 짧은 시간 안에 정보를 전달해야 하는 분야이다. 광고에서 정보의 전달은 상품을 사도록 설득하는 목적을 가지고 있다. 짧은 시간 안에 상대를 설득하기 위해 정보를 전달한다는 것은 매우 어려운 일이며 이 과정에서 사실의 축소나 과장, 왜곡 등이 일어나기 쉽다. 광고에 대한 비판적 읽기는 이 모든 광고가 가지고 있는 특징들을 객관적으로 파악하는 것에서부터 시작한다.

광고는 또한 그 시대의 문화적 특징을 종합적으로 고찰할 수 있다. 상품은 대개는 필요에 의해서 구입하지만 그렇지 않은 경우에도 상품을 구입하는 경우가 적지 않다. 탐욕과 허영심, 과시욕, 불안감 등이 우리에게 소비를 부추기기도 하는 것이다. 광고에는 그 사회구성원들의 주요한 욕망이 반영되어 있는 경우가 많으며 광고를 보며 다시 이 욕망을 모방하기도 한다.

1) 구성 요소 분석하기

비판적 읽기의 첫 번째 단계는 텍스트의 구성 요소를 분석하는 것이다. 일반적으로 광고는 언어, 영상, 음악이 통합되어 의미를 완성하는 텍스트이다. 따라서 광고를 비판적으로 읽기 위해서는 광고 텍스트를 언어, 영상, 음악으로 나누어 살피는 것에서부터 출발해야 한다.

광고 언어의 구성 요소는 발화와 자막이다. 발화는 발화 유형이나 수사법에 주목하고, 자막은 문장의 유형이나 자막의 크기와 배치에 주목해 읽도록 한다. 그리고 광고 영상은 어떤 모델이 등장하는가를 살피는 것에서부터 광고의 배경, 카메라 워크, 전체적인 색감이나 분위기 등을 분석한다. 또한 광고 음악은 배경음악과 효과음의 종류, 분위기, 소리의 크기 및 강약 등에 주목해 읽는다.

2) 의미 해석하기

비판적 읽기의 두 번째 단계는 텍스트의 의미를 해석하는 것이다. 이 단계에서는 '텍스트의 의미, 텍스트 생산자의 의도, 텍스트의 구성 전략' 등을 파악한다.

텍스트의 의미를 파악한다는 것은 광고의 구성 요소인 언어, 영상, 음악이 개별적 또는 통합적으로 전달하고자 하는 메시지가 무엇인지를 파악한다는 것을 의미한다. 그리고 텍스트 생산자의 의도 및 텍스트의 구성 전략을 파악한다는 것은 생산자가 어떤 의도로 언어를 선택하고, 영상을 구성하고, 음악을 배치하였는가, 그리고 수용자에게 어떤 반응을 유발하고자 하는가 등 광고 생산자의 의도와 목적을 파악하고, 그러한 목적을 실현하기 위해 어떤 전략을 사용하고 있는가를 해석하는 것이다.

3) 가치 판단하기

비판적 읽기의 세 번째 단계는 텍스트의 가치를 판단하는 것이다. 이 단계에서는 광고가 전달하고자 하는 메시지의 타당성과 신뢰성, 적절성을 판단한다.

타당성은 객관적 사실이나 증거 또는 근거를 확보하고 있는가, 전체적으로 합리적이라고 할 수 있는가 등을 판단하는 것이다. 광고를 통해 제공되는 정보는 약의 오남용, 과소비, 과도한 음주 행위 등을 조장할 수 있으며, 따라서 이에 대한 타당성을 점검하는 것이 필요하다. 신뢰성은 주어진 정보가 믿을만한가, 내용에 허위나 과장은 없는가를 살피는 것을 의미한다. 광고는 제품의 판매를 촉진하기 위한 일종의 마케팅 수단이다. 광고 생산자는 제품의 장점을 극대화하고, 소비자에게 주는 이익을 과장하고자 하는 유혹에 빠지기 쉽다. 따라서 광고에 제시된 정보들을 수용하기에 앞서 이에 대한 신뢰성을 평가하는 것이 요구된다. 마지막으로 적절성은 내용이나 표현이 사회의 통념이나 관습, 문화적 척도 등에 비추어 얼마나 적절한가를 판단하는 것이다. 예를 들어 광고는 성역할의 고정이나 그릇된 여성관 등 우리 사회의 다양한 편견이 반영될 수 있으며, 따라서 이를 무의식적으로 수용하기에 앞서 이에 대한 적절성을 평가하는 것이 필요하다.

✔ 학습 활동

1. 자신이 알고 있는 신데렐라 이야기의 줄거리를 써보자.

_____

_____

_____

_____

_____

_____

_____

_____

_____

_____

2. 신데렐라 이야기가 재미있다거나 아름답다고 생각한다면 그 이유를 써보자.

_____

_____

_____

_____

_____

_____

_____

_____

_____

신데렐라 이야기는 지금 시대에 와서는 적지 않은 비판을 받는다. 잘 살펴보면 신데렐라 이야기에는 무수한 고정관념과 편견이 존재한다. 우선 여성을 수동적인 존재로 그리고 있다. 신데렐라는 계모에게 끊임없이 구박을 받으며 고생하지만 집을 나갈 생각을 하지 않는다. 즉 여성이 집을 떠나 자신의 운명을 개척할만한 능력이 없다고 말하는 것이다.

여성에게 최고의 행복은 자아실현이나 사회적 성공이 아니라 오직 결혼이라는 인식도 주고 있다. 대부분의 동화가 행복한 결혼으로 끝을 맺고 있는 이유도 여기에 있다. 그러나 결혼은 끝이 아니라 새로운 시작이다. 게다가 그 결혼도 여성이 적극적으로 행동해서 얻는 것이 아니다. 왕궁의 파티에서 왕자 즉 남성의 선택을 받아야 하는 것이다.

한편으로는 흰 피부나 금발머리, 붉은 입술, 가는 허리 등 여성성을 지나치게 강조하는 문제도 가지고 있다. 날씬한 몸매와 뚜렷한 이목구비, 풍성하고 아름다운 의상 등도 자주 등장한다.

계모 즉 새엄마에 대한 부정적인 표현도 빼놓을 수 없다. 이러한 동화의 특징은 계모를 악독하거나 폭력적인 인물로 그린다. 그 이유가 무엇인지 명확히 알 수는 없지만 분명 어떠한 의도가 숨어있을 것이다.

3. 신데렐라 동화를 자신만의 방식으로 바꾸어 보자.

_____

_____

_____

_____

_____

_____

_____

_____

4. 심청전 바꿔 쓰기

「심청전」의 심청이는 아버지의 눈을 뜨게 하기 위해 인당수에 몸을 던질 정도로 효녀이다. 그런데 막상 살아서 육지로 돌아온 후에는 아버지에게 바로 가지 않는다. 판소리는 같은 심청전이어도 다양한 버전이 있는데 어떤 버전에서는 수년 동안 찾지 않는다. 그리고 맹인잔치를 열어 전국의 맹인들을 초대하는 방식으로 아버지의 안부를 확인하려 한다. 효녀 심청이 왜 아버지를 바로 찾지 않았으며 왜 굳이 맹인잔치를 했을까? 그리고 심청이가 아버지를 보러 고향에 바로 가지 않은 이유는 무엇일까? 효녀로 살기를 거부한 심청이를 주인공으로 새 이야기를 만들어보자.

제7장

다양한 표현하기

※ 학습목표

1. 다양한 표현기법의 특징에 대해 이해한다.
2. 자신의 글에서 표현기법을 적절히 활용할 수 있다.
3. 독창적이고 개성있는 표현을 만들어 낼 수 있다.

1. 표현기법의 필요성

가. 표현적 글쓰기

누구나 말과 글로 자신의 생각과 감정을 표현하려고 하지만 정확하고 쉽게 표현하는 것은 쉬운 일이 아니다. 그런데 같은 뜻이라고 해도 이해가 쉽고 사람의 마음을 잘 움직이도록 표현하는 사람이 있는 반면 전혀 의미가 와 닿지 않게 표현하는 사람도 있다. 이는 자신의 생각을 전달할 효과적인 표현 방법을 알고 있느냐 없느냐에 따라 좌우된다.

좋은 글은 풍부하고 타당하며 창의적인 생각을 담고 있을 뿐만 아니라 그것을 적절한 언어로 표현한 글이다. 아무리 좋은 생각이라도 읽는 사람에게 제대로 전달되지 않으면 소용이 없다. 좋은 글은 그 내용에 걸맞은 표현방법을 갖추어야 전달력이 높아진다. 이를 위해서는 무엇보다 글을 효과적으로 꾸밀 줄 알아야 한다. 참신한 표현을 통해 신선한 감동을 불러일으켜야 자신의 글을 매력적으로 만들 수 있다.

그렇다면 효과적인 표현 방법은 무엇일까?

첫째, 구체적이고 이해하기 쉽게 표현한다. 우리가 흔히 쓰는 단순한 표현은 의사소통을 빠르게 해주지만 구체적인 정보를 전달하지는 못한다. "아, 정말 기분 좋다"라고 쓰면 기분이 좋은 상황을 알 수는 있지만 구체적으로 기분이 좋은 정도나 그 이유는 알 길이 없다. 앞의 문장을 "아, 앓던 이가 빠진 것 같다"나 "아, 구름이라도 탄 기분이다"로 바꾸어 표현하면 어떤가. 답답하던 일이 풀려서 시원하다거나, 바라던 일을 성취해 기분이 좋다는 사실을 잘 알 수 있다. 이렇듯 표현을 정확하게 하려면 구체적인 표현이 훨씬 효과적이다.

둘째, 전달하고자 하는 생각이나 감정을 중심으로 표현한다. 무턱대고 자세하게 표현하는 것이 반드시 효과적인 것은 아니다. 자신이 경험한 세세한 것이 모두 생각과 감정을 만드는 것은 아니기 때문이다. "붉고 노란 빛깔의 단풍, 나무껍질, 바위와 자갈, 흐르는 물이 가을의 정취를 느끼게 한다."에서 '나무껍질'이나 '바위와 자갈'은 가을의 정취와는 크게 관련이 없다. 가을에 나무껍질이나 바위와 자갈의 상태가 갑자기 변하지는 않기 때문이다. 오히려 "노랗고 붉은 단풍이 비치는 물이 가을의 정취를 느끼게 한다"의 문장이 물에 비친 그림자와 빛깔에 집중된 구체적 표현으로 글쓴이의 생각과 감정을 더 쉽게 떠오르게 한다. 이처럼 이해를 쉽게 하려면 모든 것을 세세하게 표현하기보다는 중심적인 자극을 집중적으로 표현하는 것이 훨씬 효과적이다.

셋째, 상투적 표현을 극복한다. 생각과 감정을 표현하는 데 있어 적절하고 효과적인 낱말을 찾아 쓰려는 노력은 매우 중요하다. 게다가 이러한 표현이 정보 전달이나 이해를 넘어서, 독자를 설득시키거나 독자의 공감을 얻기 위한 글이라면 단순히 상투적 표현을 찾는 데 그쳐서는 안 된다. 상투적 표현은 평범하고 구태의연하기 때문에 글의 가치를 반감시키고 글을 성의 없게 느끼도록 만든다.

나. 상상력의 활용

똑같은 이야기를 해도 어떤 사람의 이야기는 흥미로운데 어떤 사람의 이야기는 지겹다. 왜 이런 일이 벌어질까. 여기에는 표현의 비밀이 들어 있다. 이야기를 지겹게 하는 사람은 대개 요약, 정리하듯 설명한다. 그러므로 일반적인 개념어가 많이 사용된다. 반면에 이야기를 흥미롭게 하는 사람은 그 일이 지금 그 자리에서 벌어지는 것처럼 말한다. 눈에 보이거나 만질 수 있을 것 같은 감각적 표현을 많이 사용한다.

이러한 차이는 상상력을 활용한 표현의 구사 여부에서 비롯된다. 상상력의 활용은 말하는 이의 태도와 관련된다. 자신이 지금 그 자리에 있듯이 이야기할 때와 책상에 앉아 지난 이야기를 조용히 정리하여 이야기할 때는 현장감이 다르다. 상상력을 활용해 이야기의 현장으로 이동한 사람은 이야기가 발생하는 구체적인 정황을 감각적으로 느낄 수 있으므로 생생한 표현이 가능한 것이다.

그런데 이야기할 때는 상상력을 활용해 말을 잘하던 사람도 글을 쓸 때는 현장감을 잃어버리는 경우가 많다. 이런 일은 왜 벌어지는 것일까. 글을 쓸 때 대부분의 사람은 구체적인 상황을 체험하기보다는 멋진 문장을 만들기에 온 정신을 다 쏟아버린다. 이 과정에서 상상력은 닫혀버린다. 그러므로 글이 잘 써지지 않을 뿐만 아니라 쓴다 해도 생동감이 없는 죽은 문장이 되기 마련이다. 이를 극복하기 위해서는 글을 쓰는 과정에서 먼저 자신이 겪은 사건의 현장으로 자신을 이동시키는 상상이 필요하다. 현장으로 이동하면 멀리서만 바라보던 이야기가 눈앞의 이야기로 바뀌기 마련이다. 이때 생생한 표현이 만들어질 수 있는 것이다. 좋은 글은 읽는이가 바로 현장에 있는 듯한 느낌을 갖도록 생생하게 표현하는 것이 가장 좋다.

2. 비유법

비유는 작가가 본래 나타내려고 하는 바를 다른 사물이나 관념으로 바꾸어 표현함으로써 보다 풍부한 의미와 강력한 인상을 주고자 할 때 사용된다. 이때 원래 표현하고자 하는 대상을 원관념, 그리고 바꾸어 표현된 대상을 보조관념이라고 부른다. 즉 비유는 원관념과 보조관념 사이의 결합관계라고 할 수 있다.

비유가 성립되기 위해서는 원관념과 보조관념 사이에 어떤 의미 있는 관계가 성립되어야 한다. "꽃은 장미다"와 같은 표현은 비유가 아닌 동어반복에 지나지 않는다. 비유가 성립하기 위해서는 두 개의 대상 사이에 유사성이 존재해야 한다. 유사성은 두 사물이나 이미지 사이에 존재하는 공통점을 말하는 것으로 이것을 파악하는 방법은 유추에 의지하는 것이다. 상상력의 중요한 수단 중의 하나인 유추는 이런 면에서 매우 중요하다. 유추는 한 대상이 다른 대상과 어떤 부분에 있어서 비슷한 성질을 가지고 있으리라고 추정해 내는 추리작용을 말한다. 그러므로 두 개의 이질적인 대상에서 발견되는 공통성을 추출해 내는 일은 추리를 통해 이 둘 사이의 동일성을 발견하는 작업이라고 할 수 있다.

한편 비유를 만들기 위해서는 원관념의 속성과 비슷하면서 동시에 다른 속성을 지닌 대상을 찾아야 한다. 즉 유사성과 동일성 못지않게 차이성도 중요한 의미를 지닌다. 유추적 관계에 의해 형성되는 유사성이 원관념과 보조관념 사이의 동일성을 형성하여 의미를 형성하는 것이라면, 차이성은 원관념과 보조관념 사이의 동일성을 다른 면에서 부각시키는 역할을 한다. 만약 원관념과 보조관념 사이에 동일성만 존재한다면 그 표현으로부터 발견하는 의미가 반감될 것이다. '슬픔은 눈물과 같다.'라거나 '사랑은 좋아함이다'라고 한다면 비유의 효과는 현저히 줄어들고 만다. 이 경우 보조관념은 원관념의 부연설명이나 동어반복에 그치고 말 것이다.

결국 비유법에서는 어떤 보조관념을 선택해 사용할 것인지가 중요하다. 즉 원관념을 설명하기 쉬운 친근한 것을 사용할지 아니면 원관념을 오히려 조금 낯설게 보이게 할 독창적인 보조관념을 사용할지를 결정해야 한다. 너무 낯익은 표현은 이해하기는 쉽지만 시시하게 다가갈 수 있다. 독창적 표현은 우리가 늘 접하는 대상을 새롭게 인식하게 함으로써 상상력을 왕성하게 작동시키며 섬세한 감각을 일깨우는 역할을 한다.

가. 직유법

비유 가운데 원관념과 보조관념 사이의 관계가 직선적이고 명확하게 드러나는 것을 직유라고 말한다. 직유는 대개 원관념과 보조관념 사이의 관계를 나타내는 '~ 같이, ~처럼, ~듯이, ~인 양, ~만큼' 등의 연결어를 통해 결합된다. 즉 직유법이라는 표시가 문장 안에 들어 있다.

직유는 표현이 매우 구체적이고 분명하다. 또 표면적으로 둘 사이의 관계를 명확하게 드러내는 표시(~ 같이, ~처럼, ~듯이, ~인 양, ~만큼)를 달고 있기 때문에 선명하게 의미를 전달할 수 있다. '샛별 같은 눈동자', '앵두 같은 입술', '보름달 같은 얼굴', '쟁반 같이 둥근 달', '떡두꺼비 같은 아기', '대쪽 같이 곧은 선비' 등과 같은 직유는 원관념의 의미를 좀 더 분명하고 이해하기 쉽게 해준다.

오늘도 샘물 같은 하루를
구정물처럼 살았다.

(구상 「오늘」)

강나루 건너서
밀밭 길을
구름에 달 가듯이 가는 나그네.

(박목월 「나그네」)

샘터에 물 고이듯 성숙하는
내 영혼의 슬픈 눈.

(이형기 「낙화」)

해와 하늘빛이
문둥이는 서러워
보리밭에 달 뜨면
애기 하나 먹고
꽃처럼 붉은 울음을 밤새 울었다.

(서정주 「문둥이」)

✔ 연습문제

1. 다음의 괄호에 들어갈 직유를 자유롭게 만들어 보자.

> 그(녀)는 (   ) 화를 냈다.
>
> 이번 겨울에는 눈이 (   ) 많이 왔다.
>
> 그는 밥을 (   ) 많이 먹었다.
>
> 봄비가 (   ) 내렸다.
>
> 추억은 (   ) 사람을 행복하게 한다.
>
> 그는 (   ) 잔인하다.
>
> 그녀의 눈은 (   ) 예쁘다.

나. 은유법

은유는 모든 비유 방법 전체를 총칭하는 용어로 사용될 정도로 가장 중요한 비유법 중의 하나이다. 은유는 한 사물을 그대로 보지 않고 다른 사물의 관점에서 본다. 은유는 직유와는 달리 원관념과 보조관념 사이의 연결 표시 없이 직접 둘을 연결해 'A는 B이다'의 형태로 제시된다. 즉 B의 관점에서 A를 보는 것이다. 흔히 "석탄은 검은 금이다"나 "키가 큰 사람은 전봇대다", "내 귀는 소라껍질, 바닷소리에 귀를 기울인다 같은 것들이 은유이다.

은유는 직유처럼 보조관념을 가져왔다는 표시가 글 안에 없기 때문에 쉽게 이해하기 힘들다. 조금 더 깊이가 있는 시나 소설 같은 문학작품에서는 아예 원관념을 없애고 보조관념만 보여주기에 그 의미가 무엇인지를 파악하기가 더욱 어렵다. 따라서 은유법은 원관념에 대한 설명이나 이해를 돕기 위해 사용되는 경우는 별로 없다. 그보다도 은유는 미적인 기능을 강화하거나 설득력을 높이기 위해 사용하는 경우가 대부분이다. 왜냐하면 은유는 원관념과 보조관념의 연결이 직유보다 돌발적이어서 직유에 비해 그 긴장의 정도가 훨씬 강렬하기 때문이다. 또 은유법은 직유법에 비해 대상을 보다 포괄적이고 종합적으로 드러낸다.

인연은 갈밭을 건너는 바람

(박목월 「이별가」)

내 마음은 호수요. 그대 노 저어 오오.
나는 그대의 흰 그림자를 안고,
옥같이 그대의 뱃전에 부서지리라.

(김동명 「내 마음은」)

✔ 연습문제

1. 다음의 괄호에 들어갈 은유를 자유롭게 생각해 보자.

스포츠는 (   )이다.
아르바이트는 (   )이다.
돈은 (   )이다.
대학은 (   )이다.
사랑은 (   )이다.
미래는 (   )이다.
추억은 (   )이다.
시간은 (   )이다.
인생은 (   )이다.
도시는 (   )이다.
세상은 (   )이다.

다. 환유법

환유는 어떤 사물 또는 사실을 표현하기 위해 그것과 밀접하게 관련을 맺고 있는 사물을 이용하는 것을 말한다. 이때 밀접한 관련을 맺고 있다는 것은 원관념의 자체적인 속성이라기보다는 원관념과 공간이나 시간상 가깝다거나 관련성이 있다는 것을 말한다.

이러한 차이는 은유와의 비교를 통해 분명히 알 수 있다. 은유가 한 사물을 다른 사물의 관점에서 말하는 방법이라면, 환유는 한 개체를 그 개체와 관련이 있는 다른 개체를 사용해 말하는 방법이다. 은유의 기능이 주로 사물이나 개념을 이해하는 데 있다면 환유는 사물이나 개념을 지칭하는 데 그 기능이 있다. 은유는 서로 비슷한 점이 있는 사물을 통해 말하지만 환유는 그저 가깝거나 관련성만 있으면 된다. 달리 말하면 은유가 이해를 위한 장치인 반면 환유는 지칭을 위한 장치라고 할 수 있다.

가령 철수가 겁이 많아서 그를 '새가슴'이라고 한다면 이는 은유이다. 그러나 철수가 평소에 검은 모자를 잘 써서 그를 '검은 모자'라고 한다면 이는 환유이다. 즉 은유가 대상의 성격을 가장 잘 설명할 수 있는 것을 빌려와 표현하는 것이라면 환유는 대상과 가장 관련이 있는 것을 빌려와 표현하는 것이다. 그래서 환유는 대부분 무언가를 가리키는 역할을 한다.

저기 빨간 미니스커트 좀 봐봐
그는 작년부터 교편을 잡았다
펜은 칼보다 강하다
금테가 짚신을 깔본다
검문소에 이르자 완장 하나가 차에 올랐다
수많은 방패가 시위대들을 가로막고 있었다.

청와대에서 오후에 중대 발표를 할 예정이다.

오늘 공연에서 장구가 실수를 했다.

✔ **연습문제**

1. 다음의 단어를 환유법을 사용해서 바꿔보자.

의사
연주자
부자
가난한 사람
고등학생
노인

라. 제유법

표현하고자 하는 사물의 일부분으로 전체를 나타내거나 반대로 전체로 부분을 나타내는 것을 제유법이라 한다. 또는 어떤 범주나 무리 중에서 하나를 선택해 이로써 전체를 나타내는 것도 제유법이다. 이때 보조관념은 원관념과 물리적으로 분리할 수 없는 일체의 관계를 형성하고 있거나 원관념의 범위나 범주에 반드시 포함되어야 한다.

예를 들면 "5쌍의 눈이 나를 바라보고 있었다"고 표현하는 경우, '눈'은 그저 눈만 말하는 것이 아니라 그 눈을 소유한 사람을 뜻한다. '눈'은 그것을 소유한 사람과 구조적으로 부분과 전체의 관계를 형성한다. 사람이 처음부터 눈이 없을 수 없고 또 눈도 눈만으로는 이 세상에 존재할 수 없다. 그렇다면 이 둘 사이에는 필연적으로 결합되어야 할 필요가 있는 것이다. 이러한 비유를 제유라고 한다. "지금은 농번기라 시골에 일손이 필요하다"에서 '일손'은 손을 가진 사람과 떼놓고 생각할 수 없다. 따라서 이 문장은 시골에 일할 사람이 필요하다는 뜻이다.

"인간이 빵만으로 살 수 없다"는 표현에서 '빵'은 다만 빵집의 빵만을 대변하는 것이 아니라 음식물, 먹을 것 전체를 대신 가리키는 제유이다. "푸른 눈"이 서양인을 가리키는 것도 마찬가지이다.

> 저기 딸기코가 온다
> 빼앗긴 들에도 봄은 오는가
> 4쌍의 밝은 불빛이 저 멀리서 빠른 속도로 다가왔다.
> 금융계의 큰 손이 움직였다.
> 곱슬머리가 가게에 들어왔다.

✔ **연습문제**

1. 다음 빈 칸을 제유법에 맞는 표현으로 채워보자

> 그 연구소에는 우수한 (   )가 많다.
> 양복을 입은 건장한 (   )들이 입구를 지키고 있었다.
> 검은 (   )이 뒤에서 조종하고 있다.
> 수평선 너머에서 (   )가 다가오고 있었다.
> 큰 키의 (   )가 내게로 곧장 왔다.

3. 강조법

글을 꾸며 표현하는 수사법은 뜻이나 이미지를 선명하게 표현하기 위해서 사용한다. 그런 의미에서 모든 수사법은 일종의 강조하기에 해당된다. 강조하기란 내용을 보다 명확하고 강렬하게 표현하기 위한 여러 가지 표현 기법이다. 주로 과장법, 반복법, 점층법 등의 수사법이 여기에 해당된다. 이런 강조하는 표현 방법은 대상을 과장하거나 반복, 의미의 점진적 확대 등을 통해 독자에게 선명한 인상을 줄 수 있다. 하지만 자신의 생각이나 감정을 주장하기 위해 이런 표현을 자주 사용하면 글의 진정성이 의심을 받게 된다. 또 한편의 글에서 강조의 기법이 자주 사용되게 되면 강조의 효율성이 떨어지고 독자들에게 피로감을 줄 수 있으므로 적절하게 사용할 필요가 있다.

가. 과장법

과장법은 어떤 내용이나 사물을 실제보다 더 크게, 또는 더 작게 표현하는 방법이다. "인산인해(人山人海)"나 "쥐꼬리만한 월급"과 같이 과대 혹은 과소하게 표현하여 독자가 효과적으로 상황을 인식할 수 있게 한다. 그런데 실감이 나도록 기발한 표현을 하기 위해서는 반드시 적절한 표현이 중요하다. 과장 혹은 축소된 표현이 너무 지나치거나 적절하지 못하다면 독자들에게 어떤 감흥도 주기 어렵기 때문이다.

삼천 길이나 되는 흰 머리   白髮三千丈

근심 때문에 이렇게 자라났네   緣愁似箇長

모르겠구나, 맑은 거울 속   不知明鏡裡

어디서 서리를 얻어왔는지   何處得秋霜

                     (이백 「가을 포구의 노래(秋浦歌)」)

✔ 연습문제

1. 다음 문장의 내용을 과장법으로 다시 표현해 보자

최근 교통사고가 자주 일어나고 있다.

_____

주거 환경이 열악하다.

_____

내일이 시험이라 매우 긴장된다.

_____

짝사랑하던 선배를 우연히 길에서 만나니 무척 설레인다.

_____

나. 반복법

한 문장이나 문단 안에서 동일한 어구나 단어, 또는 문장을 반복함으로써 이루어지는 수사법이다. 이를 통해 문장의 뜻을 강조하거나 문장을 장식하여 감정적 호소의 효과를 높일 수 있다. 또한 어구나 문장 등의 반복으로 일어나는 리듬감의 반복과 내용의 반복을 통해 전달하고자 하는 메시지가 뚜렷해진다. 때문에 시어(詩語)의 운율을 맞춰 흥을 돋우거나 뜻을 강조할 때 많이 쓰인다.

또 동일한 어구나 단어를 반복하는 동어(同語) 반복 이외에도, 뜻이 같은 것을 반복하는 동일어 동의(同一語 同議) 반복, 비슷한 말을 반복하여 쓰는 유어(類語) 반복, 앞에 사용한 단어를 다시 쓰는 전사(前辭) 반복, 단어나 어구의 위치를 뒤집어가며 반복하는 도치(倒置) 반복, 연속되는 문장의 결구(結句)에 동어·유어를 반복해서 쓰는 결구 반복 등 다양한 방법이 있다.

산에는 꽃 피네
꽃이 피네
갈 봄 여름 없이
꽃이 피네

(김소월 「산유화」)

✔ 연습문제

1. 위에서 예시된 시에서처럼 어구나 단어를 반복해 의미를 뚜렷하게 부각시켜 보자.

바람에 흔들리는 나뭇잎

_____

며칠째 내리는 비

_____

다. 점층법

문장의 뜻이 점점 상승하도록 단어나 구, 절들을 배열하는 표현 방법이다. 약한 것에서 강한 것으로, 작은 것에서 큰 것으로, 낮은 곳에서 높은 곳으로 차츰 내용의 비중이나 강도를 높이거나 넓혀 가면서 어구를 배열하여 감흥이 점점 고조되어 절정에 도달하게 만들어 감동을 주는 데 효과적이다. 구절이나 문장에서 드러나는 이미지나 공간, 관념의 범위가 층계를 밟으며 올라가듯 갈수록 확장되도록 배열해야 한다.

이런 점층법은 소설이나 희곡의 구성(plot)을 짜는 데 사용되기도 한다. 발단-전개-위기-절정-결말(또는 발단-전개-절정-하강-대단원)의 구성은 절정을 향하여 점층적인 구성으로 사건을 전개하는 방법이다.

눈은 살아 있다

떨어진 눈은 살아 있다

마당 위에 떨어진 눈은 살아 있다

(김수영「눈」)

신록은 먼저 나의 눈을 씻고, 나의 머리를 씻고, 나의 가슴을 씻고, 다음에 나의 마음의 구석구석을 하나하나 씻어낸다.

(이양하「신록예찬」)

네놈은 우리 가문을 더럽혔음은 물론, 빛나는 화랑의 체면을 훼손하였고, 거룩한 이 나라의 이름을 망친 놈이다.

(유치진「원술랑」)

✔ 연습문제

1. 위의 예시문에서처럼 의미를 차츰 확장해 가는 문장을 써보도록 하자

신록은 먼저 나의 눈을 씻고, 나의 <u>머리</u>을 씻고, 나의 <u>가슴</u>을 씻고, 다음에 나의 마음의 구석구석을 하나하나 씻어낸다.

생각이 바뀌면 _____이 바뀌고, _____이 바뀌면 습관이 바뀌고, 습관이 바뀌면 _____이 바뀐다.

고독은 _____

_____

4. 변화법

변화주기는 대상의 의미를 신선하게 전달할 목적으로 표면적인 의미 구조나 문장 구조에 변화를 주는 수사법이다. 이런 변화하기에는 대상의 형식과 의미관계에 변화를 주거나 문장 구조에 변화를 주는 등 다양한 방법이 존재하는데 도치법, 설의법, 대구법, 인용법, 반어법, 역설법, 생략법, 문답법 등이 있다. 이런 방법을 사용하여 표현하려는 문장에 변화를 주어 단조로움을 피하고 흥미를 돋우며 주의를 끄는 효과를 볼 수 있다. 본 장에서는 자주 쓰이는 변화법 중에서 반어법, 대구법, 설의법을 중심으로 살펴보도록 하겠다.

이런 변화주기는 글의 지루함을 덜거나 독자를 환기시킬 목적으로 자주 사용되는데 이런 방법을 효과적으로 활용한다면 재미있는 글쓰기를 할 수 있다.

가. 반어법

반어법은 문장에 드러난 뜻과 뒤에 숨겨진 뜻이 다르게 표현된 기법이다. 이는 대상의 형식과 의미 사이에 변화를 주는 방법이다. 즉 형식과 내용 간에 모순을 발생시켜 의미구조에 변화를 주는 것이다. 예를 들면 실수로 일을 망쳤을 경우 "잘했다"라고 하거나, 예쁜 아기를 보고 "참 밉게도 생겼지." 하고 말하는 것이 그것이다.

죽어도 아니 눈물 흘리오리다(대단히 슬플 때)
빨리도 오는군(늦게 오는 사람에게)
대단한 성과군(일을 못하는 사람에게)

이렇게 모순을 사용하는 공통점을 가지고 있는 것이 바로 역설인데, 역설법 역시 표현된 것과 은폐하고 있는 것의 구조가 반어와 유사하므로 반어법의 한 종류로 보기도 한다. 반어법과의 차이를 나누자면 반어는 형식과 내용의 모순을 발생시킨다면, 역설은 표면구조의 논리적 모순을 통해 숨은 의미를 전달한다는 점에서 구별된다. 반어는 혼을 내야 하는 상황에 "잘했다"라는 식으로 표현하려는 내용과 반대되는 말을 함으로써 어떤 의미를 강조하고, 표현 효과를 높인다. 이에 반면 역설은 "찬란한 슬픈 봄"이나 "소리없는 아우성"처럼 표현 그 자체로는 모순되거나 부조리한 것 같지만 그 표면적인 진술 너머에서 진실을 드러내고 있는 수사법이다. 즉 역설법은 언어 표현 그 자체에서 서로 모순되고 상충하는 진술을 보여준다는 점에서 언어 표현이 나타내는 표면적 의미와 실제로 전달하려는 숨은 참뜻이 상반되는 반어법과는 차이점을 보인다.

두 볼에 흐르는 빛이
정작으로 고와서 서러워라

(조지훈 「승무」)

아아, 님은 떠났습니다만, 나는 님을 보내지 아니하였습니다.

(한용훈 「님의 침묵」)

1. 다음 문장들은 반어법이나 역설법이 사용된 문장들이다. 이들 문장이 가지고 있는
   의미를 간단하게 써보자

지는 것이 이기는 것이다.

_____

_____

_____

팔자가 좋아서 조선에 태어났지, 딴 나라에서 났다면 술이나 얻어먹을 수 있나.

– 현진건, 〈술 권하는 사회〉

_____

_____

_____

나. 대구법

문장 구조에 변화를 주는 변화법 중 하나이다. 문장 구조에 변화를 주려면 우선 언어의 문법적 질서를 바탕으로 문장을 재구성해야 하는데 대구법은 비슷하거나 동일한 문장 구조를 맞춰 늘어놓음으로서 변화를 준다. 대우법(對偶法), 대유법(對喩法), 병려법(駢麗法), 대치법(對峙法), 균형법(均衡法)이라고도 한다. 이런 대구법은 나란히 병렬되는 두 어구나 언어 표현의 리듬을 맞추어 운율을 산출하는 데 목적이 있다. 이렇게 산출된 운율은 표현을 아름답게 하면서, 뜻을 분명하게 드러내 준다.

"콩 심은 데 콩 나고, 팥 심은 데 팥 난다."와 같은 표현이 대구법인데 이처럼 산문에서도 쓰이긴 하지만, 운율이 표현되므로 "돌담에 속삭이는 햇살같

이/풀 아래 웃음 짓는 샘물같이"에서처럼 시에 자주 보이는데 특히 두 개의 구가 같은 자수여야 하고 문법 구성이 같으며 서로 대응하는 말이 있어야 하는 한시에서 자주 보인다.

> 낮말은 새가 듣고 밤 말은 쥐가 듣는다
> 범은 죽어서 가죽을 남기고 사람은 죽어서 이름을 남긴다
> 이성은 투명하되 얼음과 같으며, 지혜는 날카로우나 갑 속에 든 칼이다
> 카이사르의 것은 카이사르에게, 신의 것은 신에게 돌려주라

✔ 연습문제

1. 대구법을 사용하여 제시된 대상을 표현해 보자.

구름은 하늘을 떠돌고 바람은 _____
_____

사람은 실패의 크기 때문에 실패하는 것이 아니라 _____
_____

시절이 어수선하니 꽃을 보아도 눈물이요, 이별을 한탄하니 _____
_____

다. 설의법

설의법은 평서문을 의문문의 형식으로 바꾸되 내용에는 선언적 의미를 담도록 표현하는 방법이다. 즉 누구나 다 알 수 있는 사실을 질문 형식을 통해 독자들이 결론을 인식하도록 하는 방법이다. "이 나라의 주인은 누구입

니까?"라든지 "그리스도는 악인이었습니까?"와 같이 독자에게 생각하도록 하는 계기를 만들어 문장에 여운을 준다. 주로 권유·연설·웅변 등에 많이 사용된다.

> 웃는 얼굴을 보고 아무도 침을 뱉을 수 없다.
> 웃는 얼굴을 보고 누가 침을 뱉으리?

> 타고남은 재가 다시 기름이 됩니다.
> 그칠줄 모르고 타는 나의 가슴은, 누구의 밤을 지키는 약한 등불입니까?
>
> (한용훈 「알 수 없어요」)

✔ 연습문제

1. 다음 문장들을 설의법을 사용하여 바꿔보자.

가을 하늘은 맑고 높아서 모든 사람들을 기쁘게 한다.
_____

신념을 실천하는 용기를 가진 사람은 아름답다.
_____

미지와 불가능에 도전하는 예술가는 언제나 경이롭다.
_____

✔ 학습 활동

1. 우리는 비유하기, 강조하기, 변화주기와 같은 표현하기의 다양한 방법들이 글쓰기를
   얼마나 다채롭게 하는지를 알아보았다. 이제 배워본 다양한 표현 방법들을 사용하여
   인디언식 달력 만들기를 해보자. 아래 예시를 보고 자신만의 달력을 만들어 보자.

예)

1월

마음 깊은 곳에 머무는 달/아리카라 족

추워서 견딜 수 없는 달/수우 족

눈이 천막 안으로 휘몰아치는 달/오마하 족

얼음 얼어 반짝이는 달/테와 푸에블로 족

2월

3월

4월

5월

6월

7월

8월

9월

10월

11월

12월

2. 자신을 하나의 사물이나 동식물로 상상해서 이야기를 만들어 보자.

_____

_____

_____

_____

_____

_____

_____

_____

_____

_____

_____

_____

_____

_____

_____

_____

_____

_____

_____

_____

_____

_____

_____

3. 자신의 집에 있는 어떤 물건의 입장에서 글을 써보자.

4. 두 명 이상이 한 조를 이루어 한 명의 인물에 대해 각자 알아보자.
   결과물을 발표하며 누가 더 많은 정보를 얻었는지 비교해 보자.

_____

_____

_____

_____

_____

_____

_____

_____

_____

_____

_____

_____

_____

_____

_____

_____

_____

_____

〈다음 주 예고〉

자신의 하루 또는 일주일을 사진으로 찍어 한 편의 이야기를 만들어 보자.

제8장
글쓰기의 실제

※ 학습목표

1. 자기소개서 쓰기에 필수적인 내용을 이해한다.

2. 자신의 능력을 객관적으로 제시할 수 있다.

3. 자신의 개성을 잘 드러내는 자기소개서를 작성할 수 있다.

1. 자기소개서 쓰기

가. 자기소개서의 가치와 기능

자기소개서란 회사나 기관 또는 단체에 들어갈 목적으로 자신에 관한 정보나 장단점을 소개하기 위해 쓴 글을 말한다. 자기소개서는 대부분 취업을 목적으로 쓰는 경우가 많다. 취업을 위해서는 이력서나 자격증, 경력 증명서, 졸업 증명서 등의 구비서류를 제출하는데 자기소개서는 이러한 서류로 확인하기 어려운 것을 보여준다. 즉 자격증이나 성적처럼 객관적으로 증명할 수 없는 자신만의 장점을 설명하기 위해 자기소개서를 작성한다. 이 말은 자기소개서의 내용이 글을 쓰는 사람 이외에는 증명하기 어렵다는 문제점도 가지고 있다. 이를 악용해 자기소개서를 과장하거나 거짓으로 쓰는 경우도 많다.

또 이런 점 때문에 자기소개서의 내용을 잘 믿지 않기도 한다. 그래서 자기소개서는 형식적인 것으로 보는 경우도 많았다. 자기소개서는 취업에서 1차 서류전형을 통과하기 위해 제출하는 요식행위 중 하나에 불과했다.

하지만 점차 능력 위주의 채용으로 바뀌면서 상황이 달라지기 시작했다. 여기에 각자의 개성과 창의성이 중요해지면서 객관적 평가로는 파악할 수 없는 각자의 능력을 적극적으로 알리는 일이 필요해졌다. 자기소개서야말로 자기 자신에 대한 객관적인 정보와 주관적인 해석을 동시에 제공해준다는 점에서 종합적으로 판단할 수 있는 자료의 가치를 지닌다.

블라인드 면접이 대세로 자리 잡으면서 출신대학이나 자격증 등이 과거보다는 취업에 끼치는 영향력도 줄어들었다. 이제 자기소개서를 잘 쓰는 것이 어느 때보다 중요해졌으며 취업에도 큰 영향을 끼치게 되었다. 하지만 제대로 자기소개서를 쓰는 것은 그리 쉽지 않다. 자기소개서에 대한 천편일률적인 작성법이 광범위하게 퍼져 있어서 대부분의 사람들은 효과적인 자기소개서의 작성방법이나 요령을 제대로 알지 못하고 있기 때문이다. 자기소개서를 쓸 때는 주의해야 할 점이 있다.

나. 자기소개서 쓰기

취업에 대한 욕심 때문에 과장되거나 화려하게 자신을 설명하는 경우가 있다. 그러나 자기소개서는 자신이 살아온 과정이나 자신의 장점과 능력, 경험과 경력 등을 담고 있어야 한다. 즉 자신만의 경쟁력을 최대한 객관적으로 담아낸 종합보고서와 같다고 생각하면 쉽다. 따라서 글재주가 중요한 것이 아니라 자신의 장단점에 대한 판단과 분석 능력이 더 중요하다. 단점을 감춘다고 해서 무조건 좋은 것은 아니다.

취업을 목적으로 하니 장점만을 말하는 것은 당연하다 할 수 있다. 그러나 단점을 함께 언급하면 우선 솔직하다는 인상을 줄 수 있다. 단점을 말한다는 것은 쉬운 일이 아니다. 특히 취업 같은 중요한 상황에서 자신의 단점을 말하는 것은 용기가 필요하다. 단점을 말하되 단점을 극복한 과정들이 들어간다면 호감도는 더 높아질 수 있다. 평소 자신의 장점과 단점을 철저히 분석하고 단점을 장점으로 끌어올릴 수 있는 방법도 고민해야 한다. 또한 단점을 자세히 이야기한다면 자신에 대해 객관적으로 평가할 수 있는 능력이 있음을 보여준다.

자기소개서는 자서전이 아니라, 상대에게 왜 자신을 선택해야 하는지를 진솔하게 설득하는 글이어야 한다. 따라서 남들과 같은 관습적인 자기소개서는 주목을 받기 어렵다. 흔히 자기소개서를 쓰는 전형적인 방식이 있다.

> 저는 평범하지만 화목한 가정에서 하얀 눈이 내리는 1995년 11월 겨울, 1남 1녀의 장녀로 광주에서 태어났습니다. 엄격하지만 자상하신 아버지는 저의 말을 잘 경청해 주시고 많이 이해하려 하셨으며, 인자하고 검소하신 어머니는 항상 저희들에게 다정다감하게 대해주셨습니다.

자기소개서 중에서 가장 정형화된 패턴이라고 할 수 있는 것은 "저는 몇 년도에 누구와 누구 사이에 태어났습니다."라고 시작하는 연대기적 형식이다. 시간 순서라 쓰는 것은 쉽지만 많은 사람들이 이 방식을 활용하므로 다소 단조로운 형식이다.

에피소드를 활용해 구체적인 경험을 바탕으로 묘사하라

구체적인 경험을 바탕으로 작성하면 설득력을 높일 수 있다. 흔히 저지르기 쉬운 실수 중의 하나가 멋있고 그럴듯하게 보이려고 추상적으로 쓰는 것이다. 또한 지나치게 자신의 장점만을 홍보하면 거부감이 들기 마련이다. 자기소개서의 내용은 전체적으로 논리적이고 객관적이면서 간접적인 방식이 훨씬 설득력을 높인다. 좋은 자기소개서는 구체적인 경험을 묘사하며 자신의 장점을 알리는 것이 좋다. 그래서 에피소드 형식을 가장 많이 추천하기도 한다. 자신의 성격적 특징이나 장점을 부각할 수 있는 에피소드, 위기 상황에서 자신의 대처방식을 보여줄 수 있는 에피소드 등이라면 적당하다.

특히 자신의 인생에 있어서 전환점이 된 주요한 사건과 그로 인한 자신의 정신적 성장이나 극복 과정을 설명하고 그 일이 어떻게 자신에게 영향을 미쳤는지를 설명해 주면 더욱 효과적이다. 이야기는 기억에 오래 남는다. 에피소드는 이러한 이야기의 장점을 적극적으로 활용하는 방식이다.

자신의 장점을 부각할 수 있는 테마를 선택하라

자기소개서를 쓸 때는 자기 자신을 알아가는 과정이 드러나면 좋다. 또한 자신이 성장해 가는 과정을 포함하면 좋은 인상을 줄 수 있다. 아르바이트나 전 직장을 통해 직무능력을 배웠다거나, 직장 동료나 상사와의 갈등 속에서 겪은 어려움이나 이를 해결하는 과정을 서술한다면 본인의 문제점과 이를 해결하는 과정에서의 문제해결 능력도 알려줄 수 있다

경력에 맞게 구성하라

자기소개서를 처음 쓸 때 신경을 쓰지 못해 놓치기 쉬운 것은 전체적인 내용을 어떻게 구성할 것인가이다. 즉 글의 개요를 정하지 않고 생각나는 대로 또는 시간 순서대로 쓰다보면 전혀 개성이 없는 글이 되거나 내용이 뒤죽박죽될 수 있다. 심할 경우에는 너무 엉망이라 처음부터 다시 써야 할 경우도 생긴다. 따라서 자기소개서를 쓰기 전에 자신이 쓸 내용을 개요로

작성하고 시작해야 한다. 일종의 설계도처럼 개요를 작성하면 전체적인 글의 흐름을 파악하고 세부 내용을 배치하는 데 도움이 된다.

글을 구체적으로 도식화하면 다른 사람이 읽기 쉽다는 사실을 알아둘 필요가 있다. 자신에 관한 자료와 내용을 체계적으로 배치하고, 그 구도 속에서 자신을 가장 잘 드러낼 수 있는 주제에 집중하는 것이 중요하다. 그래야 전체 흐름과 주제에서 벗어나지 않으면서도 일관되게 자신에 관한 내용들을 제공할 수 있다.

다. 자기소개서 체크 리스트

인간은 늘 실수를 범한다. 하지만 어떤 때는 사소한 실수 하나가 그 사람의 인생을 바꿀 수도 있다. 자기소개서는 취업을 결정하는 중요한 글인데 만약 실수를 한다면 큰 문제가 될 수도 있다. 특히 취업하는 회사에 최초로 제출하는 문서이자 자신의 능력을 확인할 수 있게 해주는 대상이므로 더욱 실수가 없어야 한다. 자기소개서에는 완벽주의자에 꼼꼼한 성격이라고 써놓고 막상 누구나 알 수 있는 맞춤법이나 숫자를 틀린다면 글의 신뢰도는 떨어질 것이다. 창의적이고 개성적이라고 자랑하면서 자기소개서 형식은 천편일률적이고 획일적이라면 역시나 믿음이 가지 않을 것이다. 자기소개서는 취업 지망생의 첫인상을 결정한다. 사람을 만날 때는 첫인상이 중요한 역할을 하고, 첫인상으로 나머지도 결정된다. 자기소개서를 잘 써야 하는 이유도 여기에 있다.

따라서 자기소개서는 충분한 시간을 갖고 미리 작성해두는 것이 좋다. 시간이 넉넉하면 고쳐 쓸 시간도 많고 여유있게 검토를 할 수 있다. 자기소개서에서는 오탈자가 있는지를 자세히 확인해야 한다. 일반적으로 자주 쓰는 단어의 맞춤법이 틀린다면 지원자의 국어실력을 의심받게 될뿐더러, 검토를 충분히 하지 않았다는 인상을 주어 성실성 자체에 대한 신뢰를 잃게 된다. 자기소개서는 초고 작성 후 여러 번 읽어보며 수정 보완해 최종 작성하는 것이 좋다. 수정할 때에는 여기저기 뜯어고친 흔적이 없게 하고, 문맥을 다듬어 부드럽게 연결되도록 해야 한다.

진실한 글이 되어야 하므로 화려한 치장은 피하는 것이 좋다. 눈에 띄게 할 목적으로 화려한 그림이나 현란한 색깔을 사용한다면 잠깐 관심을 끌 수는 있지만 신뢰감을 주기는 어렵다. 내실이 없다면 오히려 거부감만 높일 수 있다. 또한 글에서 한자나 외래어를 써야 하는 상황이 있다면 문맥상 적절한 사용인지 확인하고 써야 한다.

2. 자기소개서의 실제

가. 자신의 역량 찾기

역량	내용	사례
리더십	목표를 명확하게 제시하고, 구체적인 업무지시와 동기부여로 팀원을 이끌어 목표를 달성하는 능력	조직이나 팀에서 동기부여를 통해 목표를 달성한 경험 팀원간 갈등이나 불화를 해결한 경험
분석력	주어진 과제나 상황을 체계적이며 분석해 현상의 원인과 문제를 파악하는 능력	현상이나 사건의 발생원인을 정확히 분석해낸 경험 정보 및 대안을 종합적으로 파악해 활용한 경험
기획력	기업이나 조직의 목표를 충분히 이해하고 이를 달성하기 위한 구체적 전략과 세부내용을 기획하는 능력	조직의 장기 목표를 세운 경험 현황 파악을 통한 세부실행 계획을 만든 경험
문제 해결력	새로운 문제나 위기에 침착하게 대응하고 문제의 핵심을 신속하게 파악해 해결하는 능력	위기 상황에서 문제의 핵심을 빠르게 파악하고 극복한 경험 문제해결을 위한 대안을 만들고 이를 실천한 경험
설득력	주어진 정보를 적절히 활용해 자신의 생각을 합리적으로 제시하고 상대방으로부터 인정과 지원을 얻어내는 능력	자신의 의견을 논리적이며 구체적으로 제시한 경험 상대방을 고려한 협상으로 의견일치나 설득에 성공한 경험
적응력	낯선 환경에 빠르고 적절하게 대처할 수 있으며 자신의 생각과 다른 경우에도 이를 수용하고 존중할 수 있는 능력	다양한 낯선 환경에 무리 없이 적응했던 경험 새로운 방식을 스스로 선택하고 변화해 본 경험
창의력	고정관념에서 벗어나 독창적인 아이디어를 만들어낼 수 있으며 기존의 것을 자유롭게 응용할 수 있는 능력	기존의 상식이나 고정관념을 극복해 본 경험 남들과 다른 관점에서 문제를 파악해 새로운 방법을 도출해 낸 경험

나. 자기소개서 쓰기 전략

자신의 능력을 객관적으로 파악하고 장점과 단점을 구체적으로 제시하는 것은 자기소개서에서 매우 중요하다. 누구나 자신만의 고유한 능력을 가지고 있다. 설혹 자신의 장점이 다른 사람과 비교했을 때 조금 부족해 보이더라도 이를 꾸준히 발전시켜 나간다면 경쟁력을 충분히 확보할 수 있다. 위의 표는 개인이 가지는 역량 중 일부만을 담고 있다. 꼭 표에 있는 능력이 아니어도 자신만의 강점이 있다면 자기소개서에서 강력히 주장할 수 있다.

자기소개서를 쓸 때는 자신의 능력이 회사에 어떻게 도움이 될 수 있는지를 고려하는 것이 좋다. 예를 들어 창의적 문제 해결능력 같은 경우도 일반 회사에서는 매우 유용하다. 회사는 적극적이며 유연한 사고를 가진 인재를 선호한다. 사회에 나간다면 학교처럼 일일이 자세하게 가르쳐주는 사람은 없다. 만약 신입이 알아서 배우고 알아서 해결하는 능력이 있다면 직원 교육의 부담이 줄어들어서 환영할 만하다. 신상품개발이나 해외시장 개척 등의 업무에서도 창의성은 매우 중요한 능력이다.

협업 능력 역시 조직 생활에서 필요하다. 조직은 다양한 사람들이 함께 부딪히는 곳이다. 따라서 늘 의견 충돌이 발생하고 그로 인한 경쟁과 갈등이 반복된다. 이를 슬기롭게 해결하지 못하고 자시 생각만 내세우며 일을 그르친다면 개인의 능력이 아무리 뛰어나도 조직 입장에서는 반갑지 않다. 협업을 위해서는 자신의 주장을 뒤로 하고 상대방의 처지를 이해하는 것부터 시작해 타인의 공을 먼저 인정하고 자신에게 주어진 것을 양보하는 자세도 필요하다. 조직에서 개인의 힘만으로 이루어내는 것은 거의 없다. 동료가 있었기 때문에 목표를 달성할 수 있다는 겸손한 마음을 가진다면 효과적인 협업을 할 수 있다.

업무와는 무관한 듯한 친화력도 능력이 될 수 있다. 적응력이나 사교력이라고 할 수도 있을 친화력은 입사 후 빠르게 조직문화에 익숙해지고 업무를 파악하는 데 필요하다. 친화력이 있다면 인적 네트워크를 빨리 확보할 수 있고 이는 실제 업무에서 매우 중요한 자원이 된다. 자신의 힘만으로 할 수 없는 문제가 발생할 경우 주변 인물들에게서 해결의 실마리를 찾을 수 있다. 새로운 환경에 빨리 적응한다면 회사 입장에서도 믿고 업무를 맡길 수 있는 신뢰할 만한 사람으로 인정받을 가능성이 높다.

실패한 경험만 있다고 좌절할 필요는 없다. 물론 같은 실수를 반복하는 경우는 문제가 있겠지만 실패를 통해 배운 것이 있다면 이 역시 충분한 역량이자 경쟁력이 될 수 있다. 우리사회는 실패에 대한 두려움이 있어 남이 가지 않은 길은 피하려는 심리가 있다. 그런 면에서 실패는 지원자가 도전정신이 있다는 것을 의미한다. 또한 실패하지 않으면 전혀 알 수 없었던 것을 실패를 통해 배우기도 한다. 남들이 가는 평범한 길만 가는 사람은 인생의 다양한 면면이나 인간사회의 여러 모습을 보지 못했을 것이며 이는 향후 마주할 문제나 위기에 대한 대응도 부족하게 만든다. 실패한 사람은 다양한 경험에 대한 훈련이 되어 있으며 위기대응능력도 충분하다 할 수 있을 것이다.

기본적으로는 목표를 이루기 위해 포기하지 않고 꾸준히 노력하는 사람이라는 인상을 주는 것이 필요하다. 자기 혼자서 계획을 세우고 이를 위해 노력해온 사람은 분명 강점을 가지고 있다. 누구나 주어진 업무나 해야 할 일들은 잘하지만 스스로 계획을 세우고 이를 실천하기는 쉽지 않다. 만약 자신이 목표를 달성하기 위해 노력하는 사람이며 실제로 더 나아진 결과를 보여줄 수 있다면 다른 사람에게 뒤지지 않는 좋은 자기소개서를 쓸 수 있다.

대부분 하나의 역량은 다른 역량들과 연결되어 있는 경우가 많다. 리더십이 있다면 기획력, 분석력 등도 뛰어날 것이며, 창의력이 뛰어난 사람은 문제해결능력도 함께 갖추었을 것이다. 협업 능력이 뛰어난 사람은 적응력과 설득력 역시 남들보다 높을 것이다. 본인의 능력을 객관적으로 파악하고 이를 가꾸어 나간다면 다른 능력도 함께 발전할 수 있다.

자신의 능력에 이름을 붙여보고 이를 증명할 만한 사례를 작성해 보자.

나의 역량	내용	사례

✔ 자기소개서 쓰기

졸업 후 취업을 앞둔 상황임을 가정하고 4년의 대학생활을 상상하며 자신의 역량과 강점, 경험과 도전, 실패로부터 배운 것 등을 종합해 가상의 자기소개서를 작성해 보자.

_____

_____

_____

_____

_____

_____

_____

_____

_____

_____

_____

_____

_____

_____

_____

_____

_____

_____

_____

_____

_____

3. 프리젠테이션

대학생활이나 직장생활 또는 사회활동을 하면서 우리는 많은 발표의 기회를 가진다. 이때 일반적으로 파워포인트나 프레지 등의 프로그램을 활용한 프리젠테이션을 하게 된다. 프리젠테이션이란 정보의 전달이나 이해를 돕고, 나아가 듣는 이의 동의를 얻거나 혹은 행동을 하도록 동기부여하기 위한 목적으로 실시하는 시각과 청각을 활용한 발표이다.

모든 의사소통이나 발표가 그러하듯 프리젠테이션도 설득이 기본적인 목적이다. 정보의 전달도 설득을 위한 과정이다. 프리젠테이션은 이를 위해 음성 언어 이외에 시청작 자료를 효과적으로 사용하는 것이 특징이다. 시청각 매체의 발달로 인해 과거에는 단순히 음성을 중심으로 하는 발표만 가능했다면 지금은 다양한 시청각적 효과를 주는 발표가 가능해졌고 그에 대한 필요성도 증가했다.

효과적인 프리젠테이션을 위해서는 몇 가지 필요한 것들이 있다. 프리젠테이션은 말할 내용을 전부다 입력해서 읽는 것이 아니다. 핵심 내용을 중심으로 구성하고 이를 보면서 설명하는 것이 프리젠테이션이다. 따라서 주제와 목적에 맞게 핵심 내용을 요약하는 능력과 전체 내용을 논리적으로 구성하는 능력이 필요하다. 다양한 시청각 자료를 적절히 배치하는 것도 당연히 요구된다. 단순히 읽고 끝내는 것이 아니라 종합적이고 논리적이며 창의적인 발표라는 점을 꼭 기억해야 한다.

발표가 본질이므로 구두 의사소통의 특성에 유의해 청중과 대화하는 상황을 가정하고 준비해야 한다. 우리는 대화를 하며 상대방의 얼굴을 보고 관찰한다. 상대가 잘 이해하고 있는지 어려워하지는 않는지등을 살피기 위해서다. 프리젠테이션를 할 때에도 청중과 눈을 마주치고 청중의 반응을 살피며 발표의 내용이나 속도 등을 조절해야 한다. 또한 발표는 한정된 시간 안에 진행되므로 그 시간 안에 끝낼 수 있도록 구성해야 한다.

프리젠테이션은 압축된 내용을 표시하고 설명을 덧붙이며 또 각각의 슬라이드로 구성된다. 따라서 설명이나 별다른 신호 없이 슬라이드를 넘어가면 보는 사람이 발표를 따라오지 못하는 경우가 많다. 일반적인 글은 단락별로 나눠지므로 내용을 파악하는데 큰 무리가 없지만 프리젠테이션 특성상 문장이나 단락이 전환될 때를 알기 어려우므로 이를 적절하게 알려주는 기술이 필요하다. 청중이 전체적 진행상황이나 다음에 이어질 내용을 알 수 있도록 '지금까지' '마지막으로' '다음으로' 등등의 말을 통해 다음 내용으로의 전환을 표현해주어야 한다. 이러한 말들은 두 슬라이드 간의 관계를 미리 파악하게 해주는 효과도 있다

프리젠테이션은 대화적 상황이므로 자세와 표정도 매우 중요하다. 일반적으로 발표자의 첫인상은 발표 시작 7~8초 만에 결정이 된다. 그리고 이때 형성된 고정관념이 지속되는 경향이 있다. 첫인상이 좋다면 발표가 다소 부족해도 긍정적으로 평가하는 반면 첫인상이 나쁘면 발표가 좋아도 평가에 인색한 경우가 많다.

첫인상을 죄우하는 표정이나 자세, 제스처, 음성 등에 주의를 기울여 프리젠테이션 초반에 긍정적 인상과 신뢰감을 형성할 수 있도록 해야 한다.

첫인상 외에도 발표하면서 신경써야 할 것들은 많다. 시선은 원고나 슬라이드 화면보다는 청중을 향해야 한다. 내용을 숙지 못할 경우 원고만 보고 읽게 되고 슬라이드를 자주 보면 발표자의 뒷모습이나 옆모습을 노출하게 된다. 청중과 눈을 마주치며 함께 교감한다면 발표자가 내용을 충분히 숙지하고 있다는 인상을 줘서 신뢰감을 높여준다

손동작은 조금 역동적인 것이 좋으나 불필요하게 과도하면 집중을 방해

한다. 또한 프리젠테이션 발표는 본인이 생각하는 것과는 다르게 다소 복잡할 수 있다. 지시봉이나 레이저포인터를 들고 진행을 하기도 하고, 내용이 많을 경우 원고는 별도로 준비해야 하며 발표장소의 상황상 마이크를 들고 해야 하는 경우도 있다. 때에 따라서는 마우스를 작동시킬 수도 있다. 만약 발표할 때 당황하게 되면 손에 든 것을 떨어트릴 수 있다. 만약을 대비해 원고는 낱장을 피하고 고리 등을 사용해 묶어 놓아야 한다.

프리젠테이션은 다양한 시청각자료를 활용하는 것이 장점이자 특징이다. 말로 할 경우 설명이 길어질 수 있는데 시청각 자료를 활용할 경우 효과적으로 의미를 전달할 수 있다. 그러나 이 역시 지나칠 경우 부작용이 발생한다.

시청각 자료에 너무 의존하면 발표자의 위상이 하락할 수 있다. 또한 시청각 자료의 남발은 발표의 흐름을 방해하고 보는 이들의 몰입을 막는다. 화려하고 요란한 장식이나 다소 거북하고 시끄러운 효과음으로 꾸민 프리젠테이션은 발표의 목표를 달성하기 어렵다

시각자료를 설명할 때에도 주의할 점이 있다. 보통 발표할 때에는 통계자료나 조사자료를 자주 사용하는데 이러한 자료들은 정보의 양이 생각보다 많은 경우가 있다. 이때 자료가 가지고 있는 정보를 모두 전하려고 하면 시간도 많이 걸리고 집중하기도 어렵다. 시각자료를 적절히 정리해서 핵심적인 내용만 전달하는 것이 좋다.

1. 자신의 일생에서 가장 흥미진진했던 순간에 대해 써보자.

2. 지난 일주일 동안 찍은 사진을 선별해 자신의 하루 또는 일주일을 이야기로
   만들어 보자.

_____

_____

_____

_____

_____

_____

_____

_____

_____

3. 친구의 성격이 드러나는 사건에 대해 써보자.

_____

_____

_____

_____

_____

_____

_____

_____

_____

4. 이제까지 살아오면서 실수를 통해 배운 경험을 써보자.

_____

_____

_____

_____

_____

_____

_____

_____

_____

_____

5. 가장 좋아하는 냄새와 그 냄새가 있는 장소에 대해서 써보자.

_____

_____

_____

_____

_____

_____

_____

_____

_____

_____

_____

제9장

안락사와 존엄사

※ 학습목표

1. 현대사회에서 안락사와 존엄사의 의미에 대해서 이해하기
2. 인간다운 죽음의 모습에 대해 이야기하기
3. 자신이 생각하는 미래의 장례문화에 대해 이야기하기

안락사는 '어떤 사람을 위한다는 목적으로 그의 죽음을 야기하는 행위'를 말한다. 대개는 불치의 병으로 큰 고통을 겪는 사람들에게 그 고통을 덜어주기 위해 치료를 중단하거나 아니면 약을 주어 죽음을 앞당기는 행위를 뜻한다. 안락사는 크게 자의적 안락사와 비자의적 안락사로 나눈다. 자의적 안락사는 자신이 죽음을 원한다는 의사를 명시적으로 표현해 그에 따라 죽음에 이르게 하는 것이고, 비자의적 안락사는 그런 의사를 표현할 수 없는 사람, 즉 신생아나 미성년자 또는 의식이 없는 사람 등에게 고통을 덜어줄 목적으로 안락사를 시행하는 것이다.

안락사는 또한 적극적(active) 안락사와 소극적(passive) 안락사로 구분하기도 한다. 적극적 안락사는 어떤 사람의 생명을 앗아가는 행위를 직접 수행하는 것이며, 소극적 안락사는 어떤 사람을 내버려두면 죽을 것을 알면서

도 이를 예방하기 위한 조치를 취하지 않는 것이다. 예컨대 회생 가능성이 없는 말기 환자의 희망에 따라 약물을 주입하면 적극적 안락사이고, 심장이 멎었는데도 심폐 소생술을 실시하지 않으면 소극적 안락사라는 식이다. 일반적으로 적극적 안락사는 법률로 금지하지만 소극적 안락사는 경우에 따라 허용될 수 있다고 여겨왔다. 그러나 최근에는 이러한 구분이 도덕적으로 별 의미가 없다는 주장 또한 만만치 않다.

안락사와 비슷하지만 맥락이 다른 것으로 '존엄사'가 있다. 존엄사는 불치의 환자가 질병의 자연적인 경로에 따라 죽음에 이르게끔 적극적인 조치를 취하지 않는 것이다. 물론 그 과정에서 고통을 덜어줄 수분 공급이나 진통제 투여 등은 가능하지만 환자가 패혈증(피가 세균에 감염되는 것)이나 폐렴 등 치명적인 상태에 빠져도 항생제를 준다든지 하는 적극적 노력을 하지 않는다. 환자는 당연히 자신이 죽음을 향해 가고 있음을 알며, 의료진은 그가 편안하게 죽음을 맞이할 수 있게 돕는다. 이는 어떤 경우라도 환자의 목숨을 지키려 최선을 다해야 한다는 의료계의 전통과는 약간 차이가 있다.

오늘날 안락사가 대두된 배경은 크게 중환자실 등 임종 환자에 대한 치료 시설과 능력이 증가했고 그로 말미암아 의료비가 크게 폭증한 데 있다. 그러는 동안 환자가 임종 과정에서 겪어야 하는 고통 역시 과거에 비해 늘었다. 50년 전에는 위중한 상태에서 임종까지 단 며칠을 지속시킬 수 있었다면 요즘은 같은 상태에서의 임종까지 몇 달 또는 몇 년을 끌 수도 있다. 그렇다고 병을 치료하거나 환자가 완쾌되는 것도 아니다. 단지 고통의 시간만 연장할 뿐이다. 하지만 그렇다고 해서 사람의 생명을 인위적으로 중단하는 행위는 매우 심각한 윤리적·법적인 문제와 연결된다. '살인하지 말라'는 규범은 어느 사회에서든 그 사회의 가장 핵심적인 토대로 유지되는 규범이다. 안락사는 살인과 어떻게 다를까? 다른 사람을 돕기 위한 일이라고 해도 그의 생명을 인위적으로 앗아갈 권리가 우리에게 있을까? 사람의 몸에 대한 결정권은 당사자에게 있는데, 그 결정권에 자신의 죽을 권리도 포함될까?

안락사와 관련해서 생각해볼 개념 가운데 하나는 의사 조력 자살(Physician Assisted Suicide)이다. 이는 죽음을 야기하는 결정적인 행위는 환자 본인이 하되, 의사는 그에 필요한 약물이나 기구 또는 조언을 제공하는 것이다. 의사 조력 자살로 유명한 사람은 미국의 의사 키보키언(Jack Kevorkian)이다. 그는 1998년까지 환자 130여 명의 죽음을 도왔으며 안락사를 진행하는 타나트론(Thanatron)[1]이라는 기계를 고안하기도 했다.

처음에는 환자의 안락사를 돕기만 하던 키보키언은 1998년에 불치병 환자에게 직접 독극물을 주입해 안락사를 행했다. 그는 이 일로 1999년 2급 살인죄로 기소되어 수감되었다가 2006년에 병보석으로 풀려났다. 사람들 대다수는 키보키언의 행위가 혐오스러운 범죄라고 생각하지만 그를 옹호하는 사람들도 있다. 소위 '죽을 권리(right to die)'를 옹호하는 사람들로, 이들은 사람에게는 자신의 죽음을 선택할 권리가 있다고 주장한다. 특히 난치병이나 불치병에 걸려 심한 고통을 겪는 사람들은 차라리 죽음을 선택하는 것이 삶의 질(quality of life) 차원에서 낫다는 것이다. 그리고 이들과 키보키언의 주장에 따르면 그런 환자들을 '돕는' 것은 의사의 의무다.

---

1 타나트론 (Thanatron): 그리스어로 '죽음기계'라는 뜻의 타나트론은 정맥주사로 환자에게 연결된다. 환자가 직접 버튼을 누르면 기계는 환자에게 처음에는 식염수를 주입하다가 후에 강력한 마취제를 주입한다. 환자가 의식을 잃은 상태에서 극약인 염화칼륨을 자동으로 주입해 심장을 멎게 한다.

✔ 토론

❊ 안락사를 허용할 것인가에 관하여 의견이 분분하며, 나라마다 다른 법적 기준을 적용하고 있다. 2008년 11월 우리나라 법원은 식물인간 상태에 빠진 환자의 무의미한 연명 치료 중단을 받아들이는 판결을 내려 논란을 빚었다. 이에 대해 어떻게 생각하는가?

❊ 만약 안락사를 허용한다면, 과연 무엇을 판단의 기준으로 삼을 것인지에 따라서 그것의 남용을 막을 수 있는 수단은 무엇인지의 문제가 남게 된다. 이에 대한 자신의 생각을 말해보자.

존엄사

존엄사는 임종과정에 있는 환자가 인간으로서 자신의 삶을 존엄하게 마무리 할 수 있도록 하는 것이다. 법적으로는 연명의료결정제도인데 이에 따르면 모든 환자는 최선의 치료를 받으며 자신이 앓고 있는 병의 상태와 예후 및 향후 본인에게 시행될 의료행위에 대해서 분명히 알고 연명의료의 실시나 중단을 스스로 결정할 권리를 가진다. 존엄사는 환자의 자기결정을 존중함으로써 인간으로서의 존엄과 가치를 보호하는 제도이다.

일반적으로 의학적 치료에도 환자가 회복 불가능하고 임종 임박 단계에 이르렀을 때, 오직 현 상태를 유지하기 위한 무의미한 연명치료를 중단하고 자연적인 죽음을 받아들임으로써 인간으로서의 품위와 존엄성을 유지하며 죽음을 맞이하는 것을 의미한다. 생명 연장을 위한 연명치료에는 심폐소생술, 인공호흡기 착용, 혈액투석, 혈압상승제 투여, 항암제 투여, 체외생명유지술 등이 있다.

존엄사는 임종과정에 있는 환자에게만 해당되는 것으로서 안락사와는 차이가 있다. 존엄사는 사망의 과정에 있는 환자가 존엄한 죽음을 위해 연명의료중단 등을 결정하는 것이다. 즉 별다른 연명의료가 없다면 자연스럽게 사망에 이르는 환자만이 존엄사에 해당된다.

반면 안락사는 환자의 고통을 덜어주기 위해 생명을 인위적으로 종결시키는 모든 행위를 의미하는 용어로서, 사망을 위한 방법이나 시기를 제한하지 않는다는 점에서 존엄사와 다르다.

안락사나 존엄사는 고통 없는 죽음 또는 인간다운 죽음을 위한 선택이다. 이러한 문제가 발생하는 것은 과학 및 의학기술의 발달로 임종을 연장할 수 있게 되었기 때문이다. 이로 인해 웰다잉이 중요한 사회적 이슈가 되었다. 안락사나 존엄사는 웰다잉의 문제에 대해 더욱 고민하도록 만든다. 환자의 고통을 줄여주는 제도는 이제 시행되고 있지만 대부분의 환자는 의료기관에서 생을 마감한다.

만약 이 환자가 연명의료중단를 결정한 상태라면 가족도 없는 상태에서 위급상황에 빠진 환자를 그대로 보고만 있어야 한다. 대부분 의식이 없는 상태에서 임종의 순간을 맞이하므로 환자가 어떤 의사를 표현하기도 힘들다. 이 경우 환자는 가족과의 마지막 인사도 없이 세상을 떠야 한다.

존엄사를 시행하면 집에서 마지막 순간을 맞는 것도 가능하다. 많은 경우 임종을 맞이하는 사람들은 요양시설이나 응급실 또는 요양병원을 왔다갔다 하며 생을 마감한다. 그러나 환자에게 가장 안정적인 공간은 자신의 집이며 많은 노인들이 집에서 임종을 맞이하고 싶어한다. 집에서 치료받으면 심리적으로도 안정되어 치료가 효과적인 면도 있다.

자살기계

안락사에 대한 논쟁은 현재에도 많은 논쟁을 야기하고 있으며 앞으로도 계속될 것이다. 안락사 논쟁은 안락사의 범위를 어디까지로 할 것인가에 집중하게 될 것이고 그 범위는 더욱 확대될 가능성이 있다. 만약 인간의 수명이 평균 100세 이상으로 증가하고 고독사나 존엄사 등의 문제가 더 커진다면 죽음의 문제는 이제 우리 사회의 중요한 논의거리가 될 것이다.

이제 죽음은 개인의 선택 문제가 될 수 있다. 알폰소 쿠아론 감독의 영화 〈칠드런 오브 맨〉(2006)은 이러한 미래사회를 그리고 있다. 영화는 서기 2027년 영국을 배경으로 하고 있으며 인류는 더 이상 아이가 태어나지 않는 재난 속에서 종말을 향해 나아가고 있었다. 상당기간 아이가 태어나지 않으므로 노인들만 많아지고 일할 사람이 부족해 복지체계가 제 기능을 하지 못했다. 이에 국가는 자살

약을 공급해 문제를 해결하고자 했으며 텔레비전에서는 자살약의 성능을 자랑하는 광고가 나오고 있다. 다소 지나친 설정이지만 저출산 고령화에 지방소멸이 진행되는 한국의 경우를 보면 단순히 영화로 치부할 수만은 없을 듯하다.

현재는 회생 가능성의 희박하고 연명치료를 중단할 경우 생존이 불가능하다고 판단될 때에만 안락사나 존엄사가 가능하다. 그러나 노령인구가 많아지고 저출산이 심화되며 국가의 복지기능이나 기타 사회안전망이 망가진다면 어떻게 될까? 어쩌면 이런 경우에 인간의 장수는 더 이상 축복이 아닐 수 있다.

장례식

웰다잉에서 논의되는 또 다른 문제는 장례식이다. 과거 전통사회에서는 대부분 시신을 땅에 묻는 장례식이 일반적이었다. 그러나 현대사회에 들어와서는 대부분 화장으로 바뀌고 있다. 최근의 화장률은 90%를 넘어선 상태로 거의 대부분의 장례가 화장이라고 할 수 있다. 화장한 후에는 고인의 유골을 수거해 납골당에 안치한다.

최근에는 화장 마저도 에너지를 많이 쓴다는 지적이 제기되어 다른 친환경 장례문화가 부상하고 있다. 그중 하나가 수목장이다. 수목장은 화장을 할 때 드는 에너지를 절약할 수 있고 자연환경을 보호할 수 있다는 점에서 최근 관심을 받고 있다. 유럽에서는 어느 정도 보편화되어 있는 장례방식이기도 하다. 한국수목장문화진흥재단의 2021년 조사에 따르면 수목장에 대한 인식변화를 잘 알 수 있다.

【수목장이 바람직하다고 생각하는 정도 (%)】

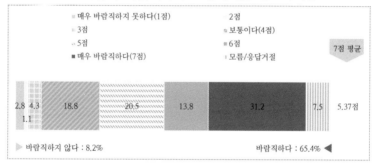

【수목장이 바람직하다고 생각하는 이유 (%)】

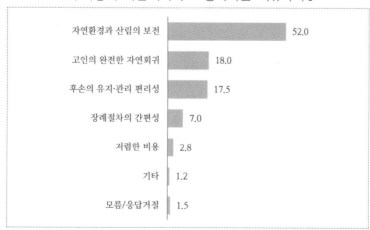

인간도 자연의 일부로서 자연으로 완전히 회귀한다는 점에서 수목장의 의미가 있기도 하다. 비용면에서도 화장 후 납골당에 안치하는 것보다는 저렴한 편이다.

수목장이 여전히 땅이 필요하다는 점에서 최근에는 다시 이에 대한 문제의식으로 다양한 장례방식이 등장하고 있다. 퇴비장, 산분장, 조장, 풍장 등 국가와 민족마다 고유한 풍습이 있다. 일본에서는 최근 풍선장이 등장하고 있다. 유골을 실은 대형 풍선이 고도 50km까지 올라가서 터지면 고인의 유골이 흩어지게 된다. 화장이나 매장에 대한 부담을 가진 사람들이 관심을 가지고 있는 장례방식이다.

장례문화에는 자연환경이나 문화가 깊이 관여된다. 인간의 삶과 생존을 위한 고민 끝에 장례문화가 결정되는 경우가 많다. 장례문화를 이해하면 그 지역의 역사와 인간의 삶을 이해할 수 있게 된다.

✔ 학습 활동

1. 외국의 장례 풍습이나 새로운 문화를 조사해 보자.

_____

_____

_____

_____

_____

_____

_____

_____

2. 자신이 생각하는 장례방식이나 문화에 대해서 이야기해 보자.

_____

_____

_____

_____

_____

_____

_____

_____

3. 자신이 원하는 마지막 임종의 모습을 이야기해 보자.

_____

_____

_____

_____

_____

_____

_____

_____

_____

4. 자신의 묘비명을 작성해 보자.

_____

_____

_____

_____

_____

_____

_____

_____

5. 자신이 죽기 전 마지막 한 끼를 먹는다면 무엇을 먹고 싶고 왜 먹고 싶은지
   이야기해 보자.

제10장
4차 산업과 일자리

※ 학습목표

1. 인공지능과 4차 산업의 성격 이해하기
2. 4차 산업으로 인해 변하는 미래사회 이야기하기
3. 미래사회에 필요한 신기술 생각해 보기

가. 사라지는 일자리

세계 유명 연구소나 각국 정부는 4차 산업혁명으로 많은 일자리가 사라질 수 있다고 경고하고 있다. 이로 인해 많은 사람들이 자신의 일자리를 잃지 않을까 하는 걱정을 하고 있다. 그러나 이런 위협은 과거에도 늘 있었다.

19세기 초 영국에서 발생한 기계파괴 운동인 러다이트 운동부터 공장 자동화로 인한 일자리 감소 논란까지 수많은 일자리 감소 위기론이 있었다. 물론 산업환경이 변하면 사라지는 일자리는 반드시 존재한다. 일례로 자율주행 자동차가 일반화되었을 경우를 생각해 보면 분명하다. 전문가들은 자율주행 자동차의 보급이 향후 4~50만 개의 일자리를 감소시킬 것이라고 예상한다. 이는 우리 사회에서 자동차 산업과 관련되거나 자동차에 영향을 받는 직업이 생각보다 많기 때문이다. 우선 택시나 화물차의 경우 운전사가 사라질 것이다. 안전한 자율주행 덕분에 전반적으로 사고는 감소할 수 있으나 사고 감소로 보험업이나 자동차 정비업도 영향을 받을 수 있다. 자율주행차는 운전 도중 쉴 필요가 없으므로 고속도로 휴게소도 수익이 감소할 것이다. 과거에는 장거리 운행시 운전사들이 잠을 자고 휴식을 취해야하는데 그럴 필요가 없어졌으니 숙박업소도 관련이 있다. 운전사가 없어도 되므로 운전면허 시험도 불필요하게 될 것이다. 이처럼 자동차와 관련된 산업은 예상외로 많다. 세차장, 정비소, 타이어 교환업체, 검사장 등도 영향에서 자유로울 수 없다. 여기에 만약 전기차가 대세가 된다면 주유수도 모두 사라지게 될 것이다. 물론 자율주행이 전면적으로 시행될 가능성은 아직 낮고 또 현재의 운전사를 보조하는 수단으로 활용될 수도 있다.

그러나 돌이켜보면 기술의 발달로 인해 인류의 일자리 총량이 줄어든 사례는 거의 없다. 기술혁신이 특정 분야의 일자리를 감소시킬 수는 있다. 그러나 기존의 일자리가 사라지면 곧 새로운 일자리가 만들어진다.

과거에는 산업환경이 변하면 새로운 일자리들이 많이 만들어졌다. 반면 4차 산업혁명은 생산성을 극도로 높일 수 있어서 너무 많은 일자리가 줄어들고 새로 만들어지는 일자리도 적을 것이라는 주장이 있다. 그러나 생산성의 비약적인 증가가 새로운 일자리를 만드는 주요한 원인이 될 수 있다. 생산성의 증가는 이미 현실화되고 있다. 1000명이 일하던 공장이 인공지능과 자동화로 인해 단지 서너 명의 직원만 있어도 돌아갈 수 있다. 이러한 생산성은 인류가 경험하지 못한 풍요로움을 제공해 줄 것이다. 그리고 이제 인간은 더 많은 여가 시간을 가지게 될 것이고 자신의 정체성과 개성을 드러내는 데 소비를 하게 될 것이다.

4차산업혁명 시대에는 보다 개인화된 서비스를 제공하는 시장이 늘어날 것으로 예상된다. 건강, 음식, 여행, 스포츠, 취미 등 각자 원하는 상품에 대한 수요가 확대될 수 있다. 물론 미래를 정확히 예측하는 것은 어려운 일이다. 그러나 역사적으로 새로운 일자리는 새로운 산업이 등장하거나 대전환이 일어날 때 만들어졌다.

나. 딥러닝과 의료

딥러닝은 인간이 스스로 공부하듯 컴퓨터가 알아서 배우게 하는 기술이다. 인공지능과 빅데이터등의 발달로 컴퓨터의 딥러닝 기술 수준은 과거와 비교할 수 없을 정도로 발달했다. 이러한 딥러닝 기술의 발달은 수많은 직업을 대체하거나 일자리를 줄여나갈 것이다.

특히 딥러닝은 의료분야에서 많은 역할을 할 수가 있다. 엑스레이나 CT 스캔, MRI 이미지 분석에서 매우 뛰어난 성능을 보이고 있으며 향후에도 더욱 발전할 것은 분명하다. 딥러닝은 시간이 흐를수록 성능과 정확도가 향상한다. 사람의 눈으로 놓치기 쉬운 질병의 징후나 초기단계의 암세포 등을 빠르게 확인할 수 있다.

인공지능의 발달이 단순 반복형의 육체노동 분야 직업을 없앨 것이라는 예상이 많았으나 이제는 판사, 의사, 회계사, 세무사 등 전문직도 일자리 감소 위험에 노출되어 있다. 이는 이들 전문직의 업무가 다양한 데이터를 분석하고 그 안에서 일정하게 데이터를 분류하거나 패턴을 찾는 일인 경우가 많기 때문이다. 그런데 데이터를 분석하고 이를 분류하고 패턴을 찾는 일은 인공지능에 최적화된 일이다. 신문기사도 인공지능이 쓰는 사례가 늘어나고 있다. 신문기사 역시 일정한 패턴으로 작성된다. 날짜와 장소를 적고 사람이나 단체를 조사하고 이들이 어떤 일을 했는지만 적으면 기사의 형식을 갖출 수 있다. 기사를 이루는 간단한 요소만 적으면 인공지능 기자가 기사를 만들 수 있다.

반면 인공지능 시대에 살아남거나 새로 생겨나는 일자리 중에는 인간적인 교류를 중요시하는 직업군들이 많다. 사회복지사의 경우 인공지능이 대체하기 어려운 일자리로 꼽히기도 한다. 이는 사람들과의 감정적 교류와 공감이 필요한데 인공지능이 대신하는 데에 한계가 있기 때문이다. 병원에서도 환자를 상대하고 보살피는 간호사의 역할은 더욱 커질 수 있다. 어쩌면 의사는 줄어들고 간호사는 늘어날 수도 있는 상황이 4차산업시대이기도 하다. 당연히 의사의 역할이나 목표도 지금과는 상당히 달라지는 것이다.

다. 4차산업혁명과 기본소득

4차산업혁명은 생산성을 올리고 한편으로는 일자리를 줄인다. 사회의 전체적인 부는 올라가지만 그 부가 소수에만 몰릴 수 있다. 즉 재벌이나 부자들이 더욱 많은 부를 얻게 되고 양극화가 심화될 수 있다. 또다른 문제는 인공지능이나 기계의 확대로 인한 소비부진이다. 결국 노동자의 해고는 노동자의 수입 하락을 의미하고 이는 다시 소비의 감소로 이어진다. 인공지능과 로봇은 쇼핑이나 외식을 하지 않는다. 즉 소비 자체가 줄어들고 경기침체로 빠지게 되는 것이다.

이러한 문제점을 인식한 선진국들은 4차산업시대의 실업자 증가를 해결할 방안에 대해 몇 년 전부터 고민해왔다. 물론 새로운 일자리가 나올 수 있으나 이것만으로는 부족하다. 이때 대안으로 제시되고 있는 것이 기본소득이다.

기본소득은 모든 사람에게 특별한 조건 없이 최소한의 생활을 할 수 있는 토대를 제공하는 것이다. 기본소득 지급도 구체적으로 들어가면 지급방안에 대해 논쟁이 야기될 수 있을 만큼 다양한 주장들이 있다. 그러나 취지는 개인이나 가구의 소득 수준, 재산 소유와는 상관없이 동일하게 지급하는 것이다. 기본소득 실험에 들어간 나라만 해도 핀란드, 영국, 스페인, 프랑스, 독일, 미국, 캐나다, 스위스, 나미비아 등 주요 선진국 포함 10여개국 이상이다. 기본소득과 비슷한 방식의 복지정책을 추진하는 나라까지 합친다면 더 많아질 수 있다.

라. 기본소득의 장점

안정성

개인 또는 가구에 일정한 금액의 소득을 보장해 주기 때문에 삶의 안정성을 보장해준다. 실직이나 기타 경제적 위기 등으로 소득이 끊겼을때도 기본소득으로 인해 어느 정도는 생계를 안정하게 유지할 수 있게 된다.

공정성

개인의 소득이나 재산에 상관없이 모든 국민에게 지급되므로 공정성을 높일 수 있다. 경제적 약자에게는 적은 돈도 큰 힘이 될 수 있으며 같은 금액이라면 부자들에게 지급되는 것보다 상대적으로 더 가치가 크다.

효율성

기본소득지급은 복지 체계를 단순화시켜 효율성을 높일 수 있다. 기존의 복지정책은 지원대상자를 선별하고 관리하는데 많은 비용을 낭비하는 면이 있었다. 기본소득은 이러한 낭비 없이 예산을 효과적으로 쓸 수 있고 인력을 효율적으로 배치할 수 있다.

마. 기본소득의 단점

재정 부담

현실적으로 모든 국민에게 매월 일정금액의 기본소득을 지급한다는 것은 천문학적인 예산이 들어간다. 아직까지 인류가 한 번도 경험해보지 못한 정책으로 수많은 시행착오가 기다리고 있을 것이며 세금 증가나 특정 분야의 예산 감소 등으로 인한 갈등도 표출될 수 있다.

물가 상승

시중에 돈이 풀리면 자연스럽게 물가가 올라간다. 인플레이션이 발생하면 돈의 가치가 하락하므로 기본소득의 취지가 약화되고 경제의 안정성도 지속되기 어렵다

성과 미비

기본소득의 목표는 가난한 사람들에 대한 실질적인 지원의 강화이다. 그러나 예산상의 한계로 인해 실제 필요한 금액보다 훨씬 못 미치는 액수를 지원하는 경우가 많다. 가난한 계층은 늘 돈이 부족하므로 기본 소득이 더 많이 지급되어야 하나 만일 돈이 부족할 경우 빈곤을 벗어나기 힘들다

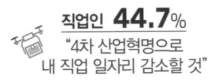

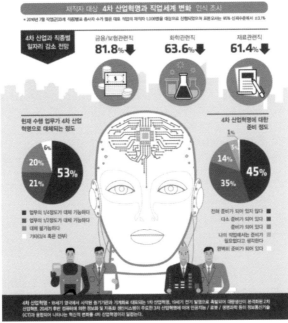

■ 위의 이미지를 참고로 4차 산업혁명으로 일자리가 감소할 것이라는 주장에 대한 근거를 제시해 보자

_____

_____

_____

_____

_____

_____

_____

✔ 학습 활동

1. 4차 산업 시대에 살아남을 직업에 대해 이야기해 보자.

_____

_____

_____

_____

_____

_____

_____

_____

_____

2. 초고령화와 독거노인 증가 시대에 적합한 의료서비스 정책에 대해 말해보자.

_____

_____

_____

_____

_____

_____

_____

_____

_____

3. 여러분이 즐기는 것 중 어떤 것은 기술의 발전이나 시대의 변화로 곧 사라질 수 있다. 그것이 어떤 것인지 예상해보고 자신의 행복을 이어갈 수 있는 방법이나 대체방안에 대해서 써 보자.

_____

_____

_____

_____

_____

_____

_____

_____

_____

_____

_____

_____

_____

〈다음 주 예고〉

다음 수업까지 1주일 동안 한 가지의 주제로 매일 사진을 찍어보자.
예를 들어 〈우리 동네〉, 〈친구〉, 〈봄〉, 〈외로움〉, 〈길〉, 〈희망〉 등 자신이 하나의 주제를 정하고 매일 사진을 찍어오자.

제11장

예술과 사회

※ 학습목표

1. 현대예술의 가치와 의의 이해하기
2. 현대예술이 추구하는 목표 이해하기
3. 예술의 사회적 필요성 이야기하기

현대사회를 살아가는 우리에게 '예술'이란 무엇일까? 오늘날 우리는 어떤 작품을 예술적인 것으로 혹은 비예술적인 것으로 인식하는 것일까? 비엔날레 현대미술전에 전시되는 작품들만을 상기하더라도 우리는 바로 이러한 질문들과 마주하게 된다. 무엇을 표현한 것인지 알 수 없는 선과 색, 추상적인 형태들로 이루어진 회화와 조형물들을 관람하다보면, "이것도 예술이라고 할 수 있을까?"라는 의문이 드는 작품을 누구나 한 번쯤은 만나게 되기 때문이다.

사실상 현대사회에서 예술과 비예술의 경계를 구분하는 것만큼 어려운 일도 없다. 특히 현대의 다양한 대중매체나 테크놀로지 발전과 더불어 탄생한 작품들을 '예술'과 관련지어 생각할 때, 우리는 더욱 어려운 문제들에 봉착하게 된다. 비틀즈의 음악이나 봉준호 감독의 영화를 예술이라고 할 수 있을까? 그리고 이러한 물음은 다음과 같은 질문과 필연적으로 연결된다. 이 세상에 단 하나만이 존재하는 레오나르도 다빈치의 '모나리자'와 무수히 복제가 가능한 현대 사진 작가의 작품 중 무엇을 더 '예술적'이라고 말할 수 있을까?

현대사회는 복잡하고 다양하게 변화하고 있다. 빠른 속도로 발전하는 기계문명은 인류에게 노동의 힘겨움을 덜어주고 굶주림을 벗어나게 하는 데 큰 역할을 하고 있다. 그러나 기계문명의 발달은 인간의 몸을 편하게 만들어준 대신, 인간의 마음을 삭막하게 만들어버렸다. 이처럼 현대사회를 살아가는 인간의 삭막해진 마음을 다시 풍요롭게 만들어줄 수 있는 것이 바로 예술이다. 그래서 예전부터 인간의 영혼을 부드럽게 하고 선한 것을 받아들일 수 있게 하는 데에 예술의 목적이 있어왔던 것이다. 즉, 인간의 감정과 정서는 예술과의 상호작용을 통해 순화되고 더욱 풍요로워지는 것이다. 그렇게 볼 때, 인간은 예술을 창조하는 동시에 예술로부터 무엇인가를 배운다.

사실적인 그림이 인정받는 시대

오랜 세월동안 미술의 핵심은 실제처럼 사실적으로 그리는 것이었다. 이를 다른 말로 '재현(再現, Representation)'이라고 한다. 재현이란 예술가가 어떤 사물이나 사건을 '다시 제시하는 것' 즉 종이나 캔버스에 다시 그리는 것을 의미한다. 그러므로 이 다시(re) 제시하다(present)라는 말에는 예술가가 표현하거나 나타내기를 원했던 원래의 대상이 전제되어 있는데, 일반적으로 아름다운 자연이나 인물이 예술의 재현 대상이 되었다. 그리고 이러한 대상을 얼마만큼 리얼하게 사실적으로 제시하고 있는가의 문제가 고전적인 예술에서 중요한 가치기준이었다.

이러한 고전적 예술론을 단적으로 보여주는 것이 제욱시스(Zeuxis)와 파

〈제욱시스의 포도송이〉

라시오스(Parasios)의 일화이다. 그리스의 유명한 화가이자 뛰어난 그림 솜씨를 지녔던 두 사람은 누가 그림을 더 잘 그리는지 내기를 했다. 먼저 제욱시스가 자기 그림을 덮고 있던 천을 들추자 그가 그린 포도송이 그림이 실재와 너무 똑같아 새들이 쪼아 먹으려고 달려들었다. 의기양양해진 제욱시스가 파라시오스에게 그림을 덮고 있는 천을 들추라고 하자, 파라시오스는 바로 이 천이 자기의 그림이라고 대답했다. 그래서 화가의 눈을 속인 파라시오스가 새의 눈을 속인 제욱시스를 꺾고 내기에서 승리하게 되었다는 것이다. 이 일화는 고전적 예술론에서 중요한 가치 기준이 '현실을 리얼하게 재현하는 것'이었다는 사실을 잘 보여준다.

고대 신라의 화가인 솔거가 황룡사 벽에 그린 소나무를 실제 나무로 착각하고 날아와 부딪쳐 죽은 까치의 이야기에서도 찾아볼 수 있다.

현대미술의 변화

하지만 조금만 생각해 보면 흥미로운 사실을 알 수 있다. 지금은 사실적이고 리얼한 그림을 그리는 화가들이 거의 없다. 그들은 왜 사라진 것일까?

세잔, 〈생 빅트와르 산 연작 1〉

화가의 능력이 과거보다 떨어진 것일까? 아니면 미술의 목표나 가치가 변한 것일까?

일반적으로 현대 회화의 탄생은 폴 세잔(Paul Cézanne)으로부터 시작되었다고 평가되는데, 그의 유명한 연작인 〈생 빅트와르 산〉 중 하나의 작품을 보면 현대 미술의 변화를 잘 알 수 있다. 스케치를 포함해 세잔은 생 빅트와르 산을 수도 없이 그렸는데, 이 그림은 비교적 그의 말기 작품에 속한다. 여기에서 주목해야 할 것은 그의 그림에서 산이나 산 아래의 마을 풍경 어느 곳도 사실적으로 묘사된 곳을 찾을 수 없다는 점이다. 화폭은 마치 기하학적인 블록을 붙여놓은 듯, 자연 그대로의 모습과 많이 다르다. 세잔의 화폭에 담긴 자연의 모습은 자연 그대로의 모습이 아닌 바로 화가가 보는 자연, 혹은 자연을 보는 인간의 감정을 표현한 것이다.

이러한 세잔에게서 이른바 '표현주의'(表現主義, Expressionismus)가 탄생했다. 표현주의는 예술가 자신이 객관적인 대상에서 느끼는 내면적인 감동을 표출시켜 그것을 타인에게 전달하는 데 예술의 고유한 기능이 있다고 본다. 따라서 세잔의 〈생 빅트와르 산〉은 생 빅트와르 산을 사실적으로 재현한 것이 아니라, 그 대상을 보는 세잔만의 방식과 그 대상에서 느꼈던 세잔의 감동을 화폭에 표현한 것이라고 할 수 있다.

이러한 현대예술의 변화는 일종의 위기의식으로부터 비롯되었는데, 그것은 바로 사진 기술의 발달이었다. 1839년 카메라의 공식 발명이 프랑스 정부에 의해 인가되면서 사진은 새로운 시각 형식으로 급부상하게 되고, 이로 인해 현실을 '재현'하던 화가의 역할을 사진기가 대체하게 되면서 회화는 근본적인 위기를 맞게 된다. 화가의 일이 현실 대상을 있는 그대로 묘사하는 것이라면 회화는 결코 사진을 따라잡을 수 없기 때문이다. 이제 사실적인 그림, 리얼한 그림은 그 가치가 하락했다. 흔히 말하는 사진 같은 그림이라는 칭찬은 실제로는 사진기가 등장하고 나서 사진에 밀려버린 것이다. 이제 화가의 임무는 현실을 묘사하는 것이 될 수 없었고 그들은 미술에 대해 고민을 해야 했다. 그리고 회화는 회화 자체로서 독립적인 미학적 특성을 가져야 한다는 결론에 도달했다.

미술 같지 않은 미술

현대 예술에 결정적인 전환을 가져온 다음의 사건을 살펴보자. 마르셀 뒤샹(Marcel Duchamp)은 1917년 4월 10일 공장에서 대량 생산된 변기를 그대로 가져와 〈샘fountain〉이라는 이름을 붙이고 리처드 머트(R. Mutt)라는 가명으로 서명을 해 미술전시장에 진열을 했다. 그리고 1920년까지 공장에서 생산된 상품들에 서명을 한 후 그것을 미술 전시회에 내놓는 일을 반복했다. 그가 한 일은 상품을 사서 전시한 것뿐이다.

그 핵심적인 내용은 예술의 정의와 관련해서 개인의 창작 혹은 생산이라

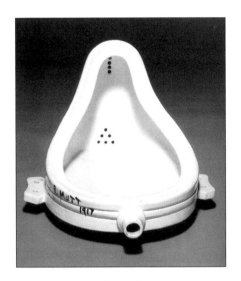

뒤샹, 〈샘〉

는 범주에 대한 근본적인 부정이었다. 다시 말해 대량 생산된 상품에 예술가의 서명을 하고 그것을 미술 전시회에 배치함으로써 개인이 예술 창조의 주체라는 예술에 대한 기존 관념을 거부하고자 한 것이다. 뒤샹의 이러한 작업과 작품을 '기성품(ready-made)'라고 부른다. 기성품은 만들어진 것, 즉 가게에서 파는 상품을 의미한다. 뒤샹은 자신이 제작한 것이 아니라 가게에서 돈 주고 산 것을 전혀 손대지 않고 변형도 없이 사인만 해 제출한 것이다. 만약 누군가 대형마트에 가서 축구공이나 후라이팬, 장갑, 빗자루, 수박 등등을 사서 미술품이라고 제출한다면 이것을 인정할 수 있을까?

　뒤샹이 보여준 이 작은 해프닝은 20세기의 예술 개념을 완전히 뒤집어놓은 계기가 되었다. 시간이 흐르자 뒤샹의 미술은 "사회적·미학적인 모든 편견으로부터 자유롭게 해방되도록 하는 폭발적인 힘"이며, "선입견으로부터 이 같은 절대적 자유야말로 예술사에서 아주 획기적인 일"로 평가받았다.

　뒤샹의 기성품이 의미를 갖는 것은 예술작품이라는 범주와의 관계 속에

실제 지전거   뒤샹의 〈자전거 바퀴〉

서이다. 왜냐하면 예술, 특히 순수예술이라는 개념이 역사상 특별한 예술 형식들 예컨대 회화, 조각, 건축 등과 관련되어 있다고 하더라고 '순수예술'을 '순수'하게 만드는 고유한 대상이나 매체 혹은 제작방식이 따로 있는 것은 아니기 때문이다. 오히려 문제가 되는 것은 예술의 대상과 매체 혹은 제작방식이 관습적으로 사용되는 형식적 관례들이며, 또한 그 속에서 작품이 분배, 소비되고 분류되는 사회제도적 방식들이다.

철학자이자 예술철학 비평가인 넬슨 굿맨(Nelson Goodman)은 오늘날 "무엇이 예술인가?"라는 물음은 불가능하고 단지 "언제 예술인가?"라는 물음만이 가능하다고 말한다. 가령, 화장실에 놓여 있는 변기와 마찬가지로 실제로 우리 주변에서 쉽게 찾아볼 수 있는 자전거 바퀴는 결코 예술작품으로 취급받지 못한다. 그러나 뒤샹이 그랬던 것처럼 그 자전거 바퀴가 훌륭한 갤러리에 전시되어 있다면, 우리는 흥미로운 표정을 지으면서 그 바퀴를 관람하게 될지도 모른다.

규범과 질서에 대한 도전

한편으로는 사회적 규범이나 질서에 대한 저항과 도전을 주제로 작품활동을 한 예술가들도 등장한다. 그들은 개인적 삶의 에너지를 질서정연한 형태에 얽매이지 않고 직접적으로 눈앞에 보여주는 예술을 시도했는데, 대표적인 것이 잭슨 폴록의 '액션 패인팅'이다. 사실 폴록은 그의 그림이 알려지기 전, 그가 그림을 그리는 장면을 찍은 사진이 대중들에게 공개되면서 유명해졌다. 바닥에 커다란 종이를 펼쳐놓고, 물감통과 붓을 거칠게 움직여 캔버스에 뿌려지는 물감들의 우연성으로 완성되는 폴록의 작품은 계산된 형태를 거부하는 현대회화의 경향을 단적으로 보여준다.

이 시기 유명한 평론가인 그린버그는 폴록의 완성된 그림도 예술이지만, 무엇보다 그림을 그리는 그의 행위 자체가 예술이라고 평가했다. "유일무이한 순간, 흉내는 낼 수 있지만 똑같은 반복은 불가능한, 따라서 예술가인 잭슨 폴록만이 만들어낼 수 있는 그 몸짓, 물감을 뿌리는 그의 행위 자체가 바로 예술이 아닌가?" 그러나 한편에서는 폴록의 완성된 그림에 남은 것은 평면과 물감 그리고 폴록의 무의식이 만들어낸 폭발적인 에너지밖에 없다는 점을 비판하기도 했다. "그의 그림에서 세상에 대한 분노가 느껴진다. 저 헝클어진 물감들이 모두 잭슨이 세상에다 대고 퍼붓는 욕설같이 느껴진다. 술에 취한 잭슨이 파티장에서 오줌을 갈긴 사건처럼, 그의 그림은 마치 그 오줌줄기 같다. 분노하는 오줌줄기."

잭슨 폴록의 작품은 현대예술에 커다란 변화를 가져왔다. 이제 캔버스는 실제 대상이나 상상의 대상을 재현하거나 새롭게 변형하여 표현하는 공간이 아니라, 행위를 하는 무대로 여겨졌다. 이후 캔버스는 완성된 그림을 담는 공간이 아니라, 하나의 사건을 전달하는 공간이 되었다. 이런 점에서 비평가 쿠닝은 잭슨 폴록을 다음과 같이 평가했다. "때때로 회화를 파괴하는 화가가 있어야 한다. 세잔이 이 일을 했다. 피카소도 이 일을 했다. 마지막으로 폴록이 이 일을 했다. 그는 회화에 관한 우리의 생각을 철저히 쓸모없게 만들었다. 그러자 새로운 회화가 생길 수 있었다."

팝아트(Pop Art)라는 용어는 1954년 영국의 비평가 로랜스 알로웨이(Lawrence Alloway)에 의해 처음으로 등장한다. 그는 음악에서의 팝 뮤직과 마찬가지로 대중문화를 반영하는 제반예술형식을 총칭하는 말로 이 용어를 사용하였다. 이는 팝아트 작가들이 현실과 직접 접촉한 그들의 삶에서 예술의 소재와 의미를 재발견한 데서 기인한다. 그리고 8년 후인 1962년 대중적 이미지를 순수예술에 실제로 적용한 일련의 작가들의 활동을 규정하는 의미로 이 용어가 다시 사용되었다. 그러나 일반적으로 팝아트는 대중적이라는 Popular의 첫 세 글자와 Art를 결합시킨, 60년대 미국 특히 뉴욕과 로스앤젤레스를 중심으로 전개된 예술의 구성양식과 경향을 일컫는다.

팝 아티스트들은 현대사회에서 순수예술은 그 자체가 일종의 허상이며, 대중매체가 모든 것을 장악해버린 이 시대에 순수예술은 성립될 수 없다고

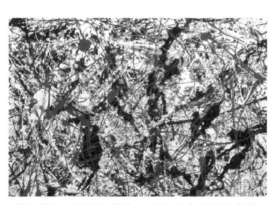

잭슨 폴록, 〈검정색, 흰색, 노란색, 붉은색 위의 은빛〉　　〈잭슨 폴록의 작업 장면〉

주장하면서, 순수예술과 대중 예술의 구분이라는 허상을 붕괴시키고자 했다. 이러한 팝 아티스트들의 노력은 무엇보다 대중매체에 의해서 생산된 이미지와 순수예술의 이미지 사이의 경계를 허무는 것으로 나타났다. 우선 첫 번째 전략은 전통적인 순수 회화의 주제들을 대중문화 속에 나타나는 이미지로 표현함으로써 순수 회화 이미지의 특권을 제거하는 것이다. 앤디 워홀은 르네상스의 고전인 보티첼리(Sandro Botticelli)의 〈비너스의 탄생〉을 대중적인 이미지로 패러디했는데, 이는 전통적인 회화의 이미지들을 대중문화 시대에 관객에게 수용되는 방식으로 변형시킨 것이라 할 수 있다.

팝 아티스트들이 대중문화의 이미지를 찬양하고 그것을 즐겨 표현하는 데에는 대중문화 시대에 대한 그들의 낙관적인 견해가 깔려 있다. 팝 아티스트가 본격적으로 등장해 활동한 것은 1950년대는 미국을 비롯한 자본주의가 최대의 호황을 누리던 자본주의 사회의 황금기였다. 호황의 국면에 있는 자본주의 사회는 그 규모에 맞는 소비의 팽창을 필요로 하며, 이에 따라 문화는 다분히 소비적인 형태를 띠게 된다. 팝 아티스트들은 바로 이러한 소비 사회를 미덕으로 간주하며, 소비의 촉진을 위해 만들어진 상업적 이미

앤디 워홀, 〈비너스〉

앤디 워홀, 〈네 개의 깡통〉

지들 역시 그들이 찬양하는 대상으로 이용했던 것이다. 앤디 워홀의 다음과 같은 말은 그들의 이러한 태도를 집약적으로 드러낸다. "이 나라, 미국의 위대성은 가장 부유한 소비자들도 본질적으로는 가장 빈곤한 소비자들과 똑같은 것을 구입한다는 전통을 세운다는 것이다." 그의 말대로 부자나 가난한 자 모두, 심지어는 대통령이나 거리의 걸인까지도 맥도널드 햄버거를 먹고 코카콜라를 마신다.

소비 사회에 대한 그들의 찬양은 소비 상품을 회화의 대상으로 삼는 그들의 작품에서 잘 드러난다. 그러나 앤디 워홀은 여기에서 조금 더 나아가는데, 그는 소비 대상들을 표현하는 것에 그치지 않고 자신의 작품을 직접 상품화하고자 했다. 그는 전통적인 회화 방식에서 벗어나 실크스크린을 이용해 캔버스 위에 그려진 전통적인 방식이 아닌 천 조각에 새겨진 보다 대중적인 이미지를 만들어내는 데 성공했다. 그의 이러한 제작 방식은 예술작품이 대중적 이미지를 창출하는 데 그치지 않고 대중에게 소비되는 상품으로 생산되기에 적합한 것이었다. 실제로 그는 뉴욕에 있는 자신의 작업실을 공장이라고 불렀으며, 이곳에 공장 제작 방식을 도입하여 동일한 이미지를 수백 개씩 반복 생산해냈다.

팝 아티스트들에 따르면 현대사회를 움직이는 힘은 바로 소비이며, 소비는 욕망의 다른 이름이다. 따라서 소비에 대한 찬양은 자본주의 사회에서 억제하거나 감추어야 할 것이 아니라 떳떳하게 드러내져야 한다. 이렇게 팝 아티스트들에 의해 예술은 다른 상품들처럼 먹고 마시는 대상이 되었다. 그리고 점점 더 대중들이 쉽게 받아들일 수 있는 이미지로 구성되었다. 팝 아티스트들은 이렇게 말한다.

"먹고 마셔라, 우리의 작품을!"

– 박영욱, 『철학으로 대중문화 읽기』, 이룸, 2003.

'팝아트의 제왕' 앤디 워홀(1928~1987)은 순수예술과 대중예술의 경계를 무너뜨린 선구자로 평가된다. 워홀은 미국인들이 좋아하는 대중스타와 상품 등 '미국 일상의 풍요로움'을 나타내는 사물들을 소재로 삼아, '팩토리(factory)'라고 불리는 작업실에서 실크스크린 기법(판화기법)을 이용해 동일한 작품을 대량생산해냈다. 워홀의 수프 깡통과 콜라병 등 20세기 대중의 소비문화를 보여주는 작품들, 그리고 마이클 잭슨, 마릴린 먼로, 비틀즈, 아인슈타인, 마오쩌둥, 체게바라 등 대중이 사랑했던 유명 인사들의 초상화는 독창성과 유일성이란 미술의 전통적 가치에 도전하며 대중문화를 순수예술의 영역으로 끌어들임으로써 현대미술에 큰 변화를 몰고 왔다. 워홀은 10여 년간 세계에서 가장 많은 전시회가 개최된 작가이며, 그의 작품은 매년 가격을 갱신하며 높은 값에 팔리고 있다. 이러한 앤디워홀의 작품들을 예술이라고 할 수 있을까? 이에 대한 자신의 생각을 정리하여 발표해 보자.

황당한 작품들의 등장

뒤샹이 미술관으로 들여온 〈샘〉이라는 작품은 '변기'라는 사물만 놓고 보면 아무리 생각해도 예술작품이라고 할 수 없다. 그것은 아름답지도 않을뿐더러 뒤샹 자신이 만든 것도 아니기 때문이다. 뒤샹의 변기가 예술이 된 것은 사물 자체 때문이 아니라, 그것을 예술의 자리에 놓음으로써 예술계 그 자체를 조롱한 뒤샹의 아이디어 때문이다. 여기에서 바로 '개념미술'이 탄생한다. 개념미술의 선두주자 중 한 사람인 솔 르윗은 '개념미술'에 대해 다음과 같이 말한다.

"뒤샹의 발칙함은 모든 예술 작품에 창작자의 수공예적인 작업이 있어야 한다는 고정관념을 타파한 데 있다. 개념미술에서 중요한 것은 '선택'이며, 그 선택의 과정에 개입한 예술가의 '발상' 혹은 '아이디어'이다." 즉 개념미술에서는 '생각 그 자체가 예술'이다.

피에로 만초니, 〈미술가의 똥〉

　　변기를 예술작품으로 들여온 뒤샹에 이어, 1961년 피에로 만초니는 자신의 변을 깡통에 넣어 미술관에 전시했다. 깡통에는 "미술가의 똥. 내용물 30그램. 신선하게 보존됨. 1961년 5월 생산되고 저장됨"이라는 문구가 적혀 있다. 그리고 이 작품은 90개 한정판으로 만들어져 당시 같은 무게의 금값으로 판매되었다.

　　이것을 작품으로 인정하고 구입한 사람은 과연 무엇을 산 것일까? 그의 똥을 산 것일까? 그것이 담긴 깡통의 아름다움을 산 것일까? 아마도 그들이 산 것은 사물에 대한 새로운 사고방식으로 예술에 대한 고정관념을 타파하려는 예술가 만초니의 '개념' 혹은 '아이디어'가 아닐까?

－『현대 미술가들의 발칙한 저항』, 김영숙

　　라우센버그(Robert Rauschenberg)[2]의 〈지워진 데 쿠닝의 그림〉은 그가 존경하던 유명한 화가 데 쿠닝(Willem de Kooning)[3]을 찾아가 미술작품을 하나

2　본명은 Milton Ernest Rauschenberg이며 1925년 미국 텍사스에서 태어났다. 미국에서 주로 활동하였으며 추상표현주의부터 팝아트까지를 이끈 선두주자이다. 특히, 1950년대 "컴바인즈(Combines)"로 잘 알려져 있는데 이것은 전통적인 재료가 아닌 새로운 발상의 재료로 구성되어있다. 그의 컴바인즈 작품들은 미술과 조각이라는 두 가지의 예술을 모두 대표하고 있으며, 그는 또한 사진, 판화, 제지, 연기 등에도 능숙했다. 2008년에 사망했다.

얻은 다음, 그것을 6주에 걸쳐서 지워낸 작품이다. 이 작품은 보는 사람으로 하여금 과연 이 작품이 데 쿠닝의 것일까 아니면 철저하게 라우센버그의 것일까라는 의문을 자아내도록 만든다. 이것은 명백하게 그림을 파괴한 행위이지만 어떤 측면에서는 창조의 행위이기도 하다.

우연의 결과

이 시기 다다이스트의 한 사람인 한스 아르프의 1916년 작품, 〈우연성으로 배열한 사각형들의 콜라주〉를 보자. 이 작품은 말 그대로 종이들을 바닥에 떨어뜨려서 '우연히' 생기게 된 모양을 붙여서 만든 작품이다. 작품에 대한 전체적인 계획, 예술가의 창작열이나 치열한 노력의 과정이라곤 없어 보이는 이런 놀이의 결과를 두고 뭔가 고상하고 좀 더 성스러운 어떤 것이 전제되어야 할 것 같은 '예술'의 이름을 붙일 수 있을까? 그리고 또 한사람의 다다이스트인 쿠르트 슈비터스. 그는 사용가능한 모든 재료들을 환상적으로 가공하여 작품을 만들었고, 이를 '메르츠'라고 불렀다. 1920년에 만들어진 작품 〈메르츠 그림 25A〉를 보자. 거리를 돌아다니며 차표, 단추, 종이 조작 등을 주어모아 붙이는 수법으로 만들어진 이 작품은 숭고하다고 생각되는 예술을 폐품들로 꼴라주하여 예술의 숭고함으로 희화화하고 있다.

---

3 미국의 화가이며 1904년 네덜란드의 로테르담에서 태어났다. '액션 페인팅(Action painting)'이라고 하는 일종의 추상 표현주의 양식의 대표자이다. 12세 때 건축 장식가에게, 뒤에 조형 아카데미에서 공부하였으며, 1926년 미국으로 건너가 장식과 삽화 그리는 일을 하였고, 대공황 중에는 연방 미술 계획에 참여하였다. 1930년대에 입체파 식의 작품이 인정되어, 그 뒤로는 추상 표현주의 경향으로 기울었다. 제2차 세계대전 후에는 인체를 자유로운 선과 선명한 색채로 대담하게 표현한 '여인' 연작으로 주목받았다. 베네치아·상파울루 등의 국제전에서도 호평을 받아, 뉴욕파의 중심적인 화가로 평가되고 있다.

한스 아르프
〈우연성으로 배열한 사각형들의 콜라주〉

쿠르트 슈비터스
〈메르츠 그림 25A〉

누군가 슈비터스에게 "이것이 예술입니까? 도대체 예술이란 무엇입니까?"라고 물으면, 그는 "그럼, 예술이 아닌 것은 무엇입니까?"라고 되물었다고 한다. 다다이스트들이 그들의 작품을 통해 이야기하려는 점이 바로 이것이다. 다시 말해 그들은 예술에 대한 정의를 고인 물처럼 하나의 고정된 어떤 것이라고 결정지어놓고, 그 안에서 예술과 예술이 아닌 것을 구분하는 예술적 전통에 반기를 든 것이다.

공공예술

공공예술은 1960년대 후반 영국, 프랑스의 '1% 예술정책'이나 미국의 '퍼센트 프로그램'을 중심으로 활성화되었다. 이는 미적인 것의 생활화를 위해 건축비용의 일정 퍼센트를 공공기금으로 조성하여 도시의 핵심 장소나 정부 건물, 광장, 공원, 학교, 병원 등 건물의 내외부에 예술작품을 설치하는 정책을 말한다. 즉 공공예술은 순수예술과는 달리 현실 사회적 기능을 가지고 공적 영역에서 공동체 구성원과 관계 맺는 예술을 주창한 것에서 시작되었다고 할 수 있다

'공공예술'이라는 용어를 저서 『도시 속의 미술』에서 처음 제안한 존 윌렛(J. Willett)은 1960년대 영국 리버풀 지역의 공공 공간에 예술작품이 들어섬으로써 예술이 지역 사회를 어떻게 변화시켰는지를 기록했다. 그리고 "도시 공동체와 상호소통하면서 도시의 분위기와 건축적 구조, 그 곳에서 살고 있는 사람들의 희망과 욕구까지 고려하고, 그것에 영향을 미치는 예술"을 공공예술로 정의했다. 이러한 그의 예술에 대한 정의는 예술의 지역 공동체와의 소통 및 기능에 대한 필요성을 역설한 것이라 할 수 있다.

최근, 한국사회에서도 공공예술이 매우 급속하게 진행되고 있다. 미술관이나 갤러리에서 벗어나 도시나 지역의 공공장소나 공간에서 이루어지는 새로운 유형의 다양한 예술 활동들, 예를 들어 미술가들이 낙후된 도시 지역이나 시골 마을에서 주민들과 함께 담장에 벽화를 그리기도 하고, 지역의 문화와 역사적 기억들을 되살리려는 시도를 하거나, 건축가, 디자이너들과 함께 도심에 소공원, 분수, 의지와 같은 편의시설을 설치하며, 재개발이 진행되는 지역 주민들의 이전 반대 투쟁을 기록, 홍보하고 싸움에 필요한 시각물들을 제작하는 등의 작업이 모두 공공예술이라는 용어 아래 활발히 행해지고 있다.

현대사회에서 예술이란?

오늘날 예술과 비예술의 경계선은 여전히 분명하지 않은 것으로 남아 있다. 세계 곳곳에서 개최되는 수많은 전시회에서 관람할 수 있는 현대 예술

가들의 예술작품들을 보면 이러한 사실을 쉽게 확인할 수 있다. 최근 우후죽순처럼 생긴 국내 갤러리에서는 다양한 종류의 현대미술이 전시되고 있으며, 미술시장에서는 천문학적인 가격의 예술작품들이 거래되고 있지만, 어째서 한 작품이 다른 작품보다도 예술적 가치가 있는지, 그리고 예술적인 작품과 비예술적인 것을 구별하는 명확한 설명은 과거와 마찬가지로 아직까지도 제시되지 않고 있다. 안타까운 사실이지만 큐레이터나 미술사가, 미술평론가, 화상이나 화가 자신조차도 그러한 상황에서 예외가 될 수 없어 보인다. 만족할 만한 예술의 정의 또한 아직 존재하지 않는다. 그로 인하여, 오늘날 이른바 현대적인 예술작품들이 전시되어 있는 수많은 미술관이나 화랑들을 둘러보는 관람객들은 거기에 전시된 작품들이 어째서 예술에 속하는지와 그것을 창작한 예술가들이 의도한 것이 도대체 무엇인지에 대해서 언제나 물음을 제기하지 않을 수 없는 상황에 놓이게 되었다. 이처럼 예술에 대한 개념 규정의 문제는 근본적인 문제를 안고 있으므로, 객관적이고 보편적인 가치판단을 통해서 오늘날의 예술과 비예술을 구분할 수 없게 된다. 단지 우리는 〈예술이란 무엇인가〉라는 물음만을 던질 수 있을 뿐이다.

그러나 과연 〈예술이란 무엇인가〉라는 물음이 전혀 의미 없는 물음일까? 그렇지만은 않을 것이다. 왜냐하면 〈예술이 무엇인가〉라는 물음은 여전히 예술에 대한 정의를 풍부하게 만들어주는 물음이기 때문이다. 즉 그 물음은 예술에 해당하는 그"무엇"을 채워가는 과정인 것이다. 한 작품을 관람하면서 그 작품에 대해 이것이 과연 예술인가 하며 의문을 던지거나 한숨을 내쉬며 고민에 잠길 때 그 대상은 비로소 하나의 예술작품이 될 수 있는 것이 아닐까? 예컨대 집이나 공공화장실 등과 같이 익숙한 공간에서 만날 수 있는 예술작품에 대해서는 별다른 고민을 하지 않는다. 그러나 그것과 동일한 작품이 훌륭한 갤러리에 전시된다면, 짐짓 심각한 표정으로 어딘가에서 본

듯한 그 작품에 대해 이러저러한 찬사와 물음을 던질지도 모르는 일이다. 이처럼 물음이 대상으로 향하는 순간 그 대상은 일상적인 것에서 벗어나 비로소 예술이라는 이름을 가지게 되는 것이다. 그래서 예술은 물음이며, 예술에 대한 정의 역시 물음일 수밖에 없는 것이다.

21세기의 초엽인 현재 예술의 고전적 개념은 곧 사라질 운명에 처해 있는데, 그것은 단순히 낡고 의미가 축소되어 사라져야 하는 것이 아니라 보다 넓고 근원적인 뜻으로 새롭게 탄생하기 위하여 사라지는 것이다. 따라서 앞으로의 예술은 예술과 비예술이라는 과거의 이분법적 구분을 벗어나서 언제나 세계를 바라보는 신선한 시각적 틀을 발명하면서도, 가능하면 세계를 있는 그대로 보려고, 참신하게 인식하면서 그것을 재구성하여 그 세계 속에서 살아가는 우리가 보다 더 행복하게 느낄 수 있는 형태로 재구성될 것이다. 예술의 영역이 거의 무한대로 확장된 현대의 예술에서는 예술과 비예술의 경계를 묻는 일 자체가 예술행위가 되기도 하며 어떤 작품의 겉모습이나 재료, 제작 방식은 더 이상 예술과 비예술을 판단하는 기준이 되지 못한다.

1. 1주일 동안 한 가지의 주제로 매일 사진을 찍어봅시다. 예를 들어 〈우리 동네〉, 〈친구〉, 〈봄〉, 〈외로움〉, 〈길〉, 〈희망〉 등 자신이 하나의 주제를 정하고 매일 사진을 찍어오자.

자신의 주제에 가장 적합한 사진을 하나 고르세요. 그리고 그 사진이 담고 있는 것과 자신이 담으려고 했던 애초의 목표에 대해서 설명하는 글을 써보자.

_____

_____

_____

_____

_____

_____

_____

_____

_____

_____

_____

_____

_____

_____

_____

_____

_____

_____

2. 바로크나 로코코 시대 작가 중 한 명을 정하고 그 작가의 작품을 세 점 이상 소개하는 글을 써보자.

_____

_____

_____

_____

_____

_____

_____

_____

_____

3. 낭만주의, 인상주의, 상징주의, 신고전주의 등 현대미술 작가 중 한 사람을 정하고 그 작가의 작품을 세 점 이상 소개하는 글을 써보자.

_____

_____

_____

_____

_____

_____

_____

_____

_____

제 12 장

정의

※ **학습목표**

1. 정의에 대한 다양한 관점 이해하기
2. 정의와 분배의 관련성 파악하기
3. 정의로운 사회의 모습에 대해 이야기하기

'정의(justice)'의 문제는 다소 어렵고 추상적으로 보이지만 사실 우리 삶의 제반 문제들과 밀접하며, 옳고 그름이 명백하게 드러나는 일상적 문제들부터 장시간의 토론과 합의가 필요한 정치철학적인 질문들을 아우르고 있다.

1. 정의의 문제들

사회의 정의를 묻는 질문은 다소 무겁게 느껴지는 것도 사실이다. 그러나 정의의 문제는 우리의 삶에서 그리 멀리 떨어져 있지 않다. 사회가 정의로운지 묻는 것은 우리가 소중히 여기는 것들과 관련되어 있는 실질적 질문이기 때문이다. 가령 부의 창출과 분배의 문제에서 사회는 언제나 정치 또는 경제의 이름으로 우리의 선택을 요구한다. 우리가 국민의 한 사람으로서 어떤 한 정당의 정책을 지지하거나 반대할 때, 우리는 그 정책이 개인에게 미칠 영향과 사회에 미칠 영향을 고려하면서 이른바 선거권을 행사한다.

선거라는 형식이 아니더라도 이슈화되는 사회적 문제들은 설문조사의 방식이나 여론의 형식으로 개개인들의 의견을 묻고는 하는데, 이때 단연코 우리는 무엇이 더 옳은 것인가에 대해 고민하고 있다. 그 기준이 개인의 이익이든 사회 전체의 효율성이든 도덕적 판단이든 간에 말이다. 또한 권리와 의무, 권력과 기회의 균등, 효용성과 형평성의 문제들도 마찬가지다. 이러한 말들이 여전히 무겁게 느껴진다면 가령 이런 것들도 해당된다.

의견이 다른 친구들끼리 어떤 합의를 이끌어내야 하는 상황을 가정해보자. 때로 우리는 다수결이라는 민주주의적 원칙에 의거한 판단을 내리기도 하고, 그 집단의 리더의 결정을 따르기도 한다. 이때 그 결정에 동의하고 행동할 때 우리는 그것이 옳다고 여기거나 전체의 이익을 증대시킨다고 믿기 때문일 것이다. 반대의견을 제시하거나 리더의 결정에 이의를 제기할 경우, 그 결정이 미래 개인이나 전체에 미칠 악영향을 고려하기 때문일 것이다. 정의는 분배의 문제이다. 개인에게 합당한 몫을 나누어 주는 룰을 제시하고, 그 기준을 찾고, 상황에 따라 적용하는 과정을 통해서 모두에게 더 좋은 방향으로 접근해가는 절차가 바로 정의일 것이다. 적절한 급여를 정하고, 세금은 얼마를 내는 것이 좋으며, 개인의 노력에 대한 결과가 합당한 것을 찾는 모든 것이 정의의 몫이다.

2. 정의를 이해하는 세 가지 방식

첫째, 행복 극대화의 원칙부터 생각해 보자. 시장 중심 사회에서는 이것이 자연스러운 출발점으로 보인다. 오늘날의 정치 논쟁도 경제적 풍요를 장려하거나 생활수준을 높이거나 경제 성장에 박차를 가할 방법에 초점을 맞추고 있지 않은가. 신자유주의의 세계 경제 질서의 흐름에 따라 각 나라들이 자국의 이익을 극대화하기 위해 FTA협상을 하는 경우, 협상 당사자들은 당연히 행복 총량의 극대화를 기준으로 둔다. 모든 협상은 한 쪽이 일방적으로 유리한 결과를 가져갈 수 없다. 따라서 어떤 산업은 피해를 보고 어떤 산업은 이익을 볼 것이다. 이때 사회의 선택은 손실과 이익을 계산해서 더 큰 이익이 되는 쪽으로 노력할 것이다. 큰일 하다보면 약간의 손실은 있을 수밖에 없다는 일반적인 논리와 다르지 않다.

개인으로 보나 사회로 보나, 경제적으로 풍요로우면 더 잘살게 되리라 생각하기 때문에, 다시 말해 풍요로움은 행복에 기여하기 때문에 이러한 선택은 당연해 보인다. 이 생각이 공리주의라는 이름으로 불린다. 공리주의는 행복을 극대화해야 하는, 최대 다수의 최대 행복을 추구해야 하는 이유와 방법을 가장 그럴듯하게 설명하는 이론이다.

둘째, 정의를 자유와 연관 짓는 이론들이 있다. 개인의 권리 존중을 가장 중요하게 생각하는 방향이다. 물론 이 이론들 사이에도 어떤 권리가 가장 중요한가를 두고 견해차가 있다. 하지만 정의는 자유와 개인의 권리를 존중하는 것이라는 생각은 오늘날의 정치에서 행복의 극대화라는 공리주의적 사고만큼이나 익숙하고 중요하게 여겨진다. 전 세계적으로 정의는 보편적 인권을 존중하는 것이라는 생각이 일반화되어 있지 않은가. 물론 현실적으로는 꼭 그렇지는 않지만 말이다. 그리고 이 관점은 공리주의적 사고와 여러 가지 면에서 부딪치게 될 수밖에 없다. 다수의 행복을 위해서 한 개인의 희생이 요구될 때 자유론의 입장에서 이는 용납될 수 없다. 행복의 총량을 극대화시키는 것이 공리라고 하지만, 행복의 양을 수치화 시킬 수 있는지의 문제와 개인의 자유를 침해한다는 근본적인 문제에서 접점을 찾기란 쉽지 않다.

자유에서 출발해 정의를 이해하는 방식에 여러 유파가 있다. 사실 현대사회에서 가장 치열한 정치 논쟁은 자유방임주의와 평등주의 진영 사이에서 일어난다. 자유방임주의 진영을 대표하는 자들은 자유시장주의를 옹호한다. 정의란 성인들의 합의에 다른 자발적 선택을 존중하고 지지하는 데 달렸다고 믿는 사람들이다. 평등주의 진영에는 당연히 평등을 옹호하는 이론들이 즐비하다. 이들은 규제 없는 시장은 공정하지도 자유롭지도 않다고 주장한다. 이들이 볼 때 정의를 구현하려면 공평하게 나눠 주는 정책을 펴야 한다. 이 두 가지의 차이는 때로 보수와 진보, 좌와 우, 그리고 효율성과 형평성의 이름으로 치환되어 치열한 논쟁을 보인다. 교재의 여러 쟁점에서 우리는 이 둘 사이를 자주 왕래해야 할 것이다.

마지막으로 정의는 미덕 그리고 좋은 삶과 밀접히 연관된다고 보는 이론이 있다. 오늘날의 정치에서 미덕 이론은 흔히 문화적 보수주의, 종교적으로는 우파와 동일시되기도 한다. 도덕을 법으로 규정한다는 발상은 자유주의 사회 시민들이 보기에, 자칫 배타적이고 강압적인 상황을 불러올 수 있는 경악할 만한 발상이다. 그러나 정의로운 사회라면 미덕과 좋은 삶에 대한 견해를 분명히 해야 한다는 생각은 모든 이념에 깃들어 있으며 다양한 정치 활동과 주장에 영감을 준 것이 사실이다. 탈레반과 노예제 폐지론자와 마틴 루터 킹 목사도 도덕적이고 종교적인 이상을 바탕으로 정의에 대한 시각을 정립한 경우라고 볼 수 있다.

3. 도덕적 딜레마

민주사회에서의 삶은 옳고 그름, 정의와 부정에 관한 서로 다른 견해들로 가득하게 마련이다. 그것이 민주의 기본이며 다름을 인정하는 미덕의 핵심이다. 어떤 사람은 낙태 권리를 옹호하지만 다른 사람은 그것을 살인으로 간주한다. 낙태는 살인이 아니지만 안락사는 살인이라고 생각할 수도 있으며, 반대로 안락사는 개인의 존엄성을 존중하는 행위라고 말할 수도 있다. 명확한 하나의 관점을 가지고 사안에 접근하기 어려울 때 우리는 도덕적 딜레마에 빠진 자신을 발견하게 된다. 또 어떤 사람은 부자에게 세금을 거두어 가난한 사람을 돕는 것이 공정하다고 생각하지만, 다른 사람은 개인의 노력으로 번 돈을 세금으로 걷어가는 것이 공정하지 못하다고 여길 수도 있다. 아니면 이른바 공공재의 사용을 전제로 개인의 부가 축적된 것을 동의하기 때문에 일정 정도의 세금을 징수하는 것은 마땅하지만, 이른바 '부자세'라는 이름으로 세금을 차별 징수하는 것은 이중과세이거나 평등을 가장한 불평등이라고 말할 수도 있다. 비슷한 사례로 대학 입학에서 소수집단우대정책을 놓고도 어떤 사람은 차별에 놓인 사람들을 도와줌으로써 사회전체의 이익이 증대될 것이라고 찬성하겠지만, 다른 사람은 능력 있는 인재를 역차별하는 불공정 제도라고 반대할 것이다. 실제로 미국의 오바마 대통령의 부인인 미쉘은 흑인을 위한 소수집단우대정책으로 대학에 입학한 경우이기도 하다. 마지막으로 어떤 사람은 테러 용의자를 고문하는 행위는 자유사회에 걸맞지 않은 혐오스러운 행동이며 인간의 존엄성을 무시하는 행동이라고 하겠지만 어떤 사람은 테러 공격을 예방하고 더 큰 사고를 막을 수 있는 합리적인 최후의 수단이라며 찬성하기도 할 것이다.

이러한 수많은 사례들에 대해 우리는 일관된 입장으로 자신의 생각을 정립할 수 있을까? 정의와 부정의, 평등과 불평등, 개인의 권리와 공동선에 관한 다양한 주장이 난무하는 상황을 우리는 어떻게 이성적으로 통과할 수 있을까? 우리는 딜레마적 상황에 직면했을 때, 옳다고 여긴 판단을 재검토 하거나 옹호하던 원칙을 파기할 수도 있다. 새로운 상황에 직면하면 자신의 판단과 원칙 사이에서 왔다 갔다 하면서 혼란스러워 할 수도 있다. 그러나 그건 패배가 아니다. 원칙을 강화하거나 바꾸거나 상대를 인정하는 모든 행 위는 도덕적 딜레마를 책의 영역에서 우리 이성의 영역으로 가져오는 과정 이며 동시에 도덕적 사고의 기본 자세이기 때문이다. '정의'의 문제는 이런 상황과 질문들에 대답하기 위한 과정이다.

4. 공리주의의 대두

사실 근대 사회 이전에는 이러한 윤리적 딜레마에 대한 상황 판단이 분명 했던 것으로 보인다. 전통적 종교들이 가지고 있었던 무한한 권위와 그에 대한 신뢰가 있었기 때문이다. 물론 오늘날의 기준으로 보자면 그것 또한 그 정당성을 인정받기 어렵겠지만, 12세기에 존재했던 크리스트교의 마녀 사냥조차도 당시의 기준에서는 그 타당성을 의심받지 않았다. 그러나 종교 적 권위와 신성 불가침의 왕권이 몰락하면서 모든 인간의 평등한 법적 지위 는 이러한 윤리적인 갈등 상황을 극대화시켰다. 따라서 이처럼 평등한 지위 의 인간들 간의 갈등을 해소하는 데에는 또 다른 권위가 요청되기 마련이 다. 결국 민주주의의 구성원리인 사회계약론과 벤담과 밀에 의해 제기된 공 리주의적 모델에 입각하여 다수의 판단에 기초한 윤리적 합의의 원칙들이 만들어졌던 것이다. 이 과정은 다음과 같다.

① 최대다수의 최대행복을 달성하는 것이 윤리적인 선이며

② 이는 자신의 이익을 포기하고 양보하는 희생적인 타자가 존재하기 때문이며

③ 이러한 타자가 자신의 이익을 포기할 수 있었던 것은 그 최대다수의 행복이 자신의 이익에도 궁극적으로 부합된다고 믿었기 때문이다.

④ 마지막으로 그 양보와 희생은 합리적 합의를 통해서 이루어질 수 있어야 사회적 윤리가 완성된다.

　많은 경제적 결정과 정치적 선택의 경우 그 정당성의 밑바탕에는 공리주의적 사고방식이 내재되어 있다. 그럼에도 공리주의적 해결 방식이 현실에서 적용되기 어려운 경우가 많은 것도 사실이다. 왜냐하면 그 누구도 자신의 죽음을 기꺼이 받아들임으로써 사후의 찬사를 얻으려고 하지 않을 것이기 때문이다. 공리주의적인 윤리적 합의에 도달하기 어려운 이유다. 때문에 이러한 공리주의적 원칙에 의해서만 사회의 윤리적 안전성을 지키는 것은 힘든 일이다.

　그럼에도 오늘날 사회에서 공리주의적 원칙이 주된 문제 해결책이 되는 이유는 우리 사회가 자기의 이익을 희생하거나 타자를 배려하고자 하는 태도를 가지고 있지 않기 때문이다. 정의론적 관점에서 볼 때 현대사회는 '부정한 사회(unjust society)'에 가까워 보인다. 민주주의가 그 정치적 진정성을 점차 잃어가고 있고 물신주의가 전통적 세계관이 유지시켰던 도덕적 질서마저 붕괴시키고 있는 전 세계의 현실은 공리주의가 가지고 있는 윤리적 결함에 대해서 새로운 대책을 요구하고 있다. 또한 20세기 초 민주주의의 실패와 공리주의의 횡행 속에서 등장했던 쇼비니즘(배타적 애국주의)의 폭력상은 윤리적인 공황상태를 초래함으로써 정의로운 사회에 대한 갈망을 더 크게 요구했던 것도 기억해야 한다.

5. 새로운 정의의 절차적 모색 – 존 롤스

사실 윤리철학에서 '정의'라는 낱말은 오랫동안 잊혀진 과제였다. 특히 영미권에서는 더욱 그러했는데, 1970년대에 미국의 대표적인 철학자 존 롤스는 공리주의와 자유방임주의를 대신할 수 있는 실질적인 사회적 정의의 원리를 구성하려는 시도를 전개했다. 그는 이를 '공정으로서의 정의(justice as fairness)'라고 명명하고 새로운 정의에 대한 사고방식을 정립하기 위해 노력했다. 롤스는 정의의 개념을 한 사회제도 안에서 모든 개인이 완전하게 평등할 수 없다는 사실에 기초하여 사용한다. 즉 공리주의적인 원칙을 갖지 않는다 하더라도 각 개인은 개별적 차이나 구조적 차이에 의하여 불평등함을 경험할 수밖에 없다는 것이다. 따라서 롤스에게 있어서 정의란 완전한 평등에 이르고자 하는 것이 아니라 사회구성원의 이익 충돌과 갈등을 제도적 원리를 통해 해결하는 절차를 확립하는 것이라고 설명한다. 즉 왕따는 도덕적으로 잘못되었다고 이야기하는 것이 아니라 왕따가 발생했을 때 그것을 제도적으로 막을 수 있는 장치를 사회가 가지고 있는 것이 정의라는 것이다.

롤스의 정의론이 기존의 사회계약론과 차별점을 지니는 출발은 모든 개인은 이기적인 존재라는 것을 적극적으로 인정하고 이용했다는 점이다. 사회구성원들 각각은 자신들의 지위나 타인과의 모든 차이에 대해 알 수 없는 상태(베일에 가려진 상태)에 놓여 있다. 동시에 합의에 참여하는 개인들은 합리적이면서 동시에 이기적인 존재로서 도덕적 인격과 권리, 기회, 자유, 협동과 같은 사회의 기본적 가치에 대해서는 어느 정도 알고 있는 존재들이다. 이러한 상황에서 사회구성원들이 맺게 되는 계약의 현실적인 목표는 자신의 이익을 극대화하는 것이 아니다. 그것은 갈등만을 유발하는 것을 익히 배우고 알고 있기 때문이다. 이들의 목표는 피해를 최소화하는 원리에 도달하는 것이다. 이는 기존의 사회계약론이 모두 사회 구성을 통해 자신의 이익을 추구했던 것과는 사뭇 다르다. 때론 소극적 방법론으로 보이기도 한다. 그러나 롤스는 사회가 이러한 소극적인 원칙에 충실하게 대응하려 할 때만 공리주의가 낳는 선의의 피해자를 줄일 수 있다고 이야기한다. 즉 한 개인은 이기적이기 때문에 다수의 의견에 반대하여 윤리적 과제를 실천할 만한 용기를 갖기 어렵고 때문에 사회적으로 피해를 최소화할 수 있는 규제의 기준들을 마련해야 한다는 것이다.

이러한 원리를 바탕으로 그는 정의를 위한 두 가지 원칙을 제안합니다. 그 첫 번째는 모든 사람은 자유에 대한 동등한 권리를 갖는다는 자유 우선성의 원칙이다. 그에 따르면 이는 헌법적 보장을 통해 가능하며 이 원칙에 의하여 공리주의적인 폭력을 방어할 수 있다. 즉 우리 사회는 경제적 성장을 통해 전 국민의 삶의 질을 높이겠다는 공리주의적 원칙에 의하여 정책을 수행하지만 그 결과는 사회적 약자의 피해를 근간으로 하여 성립된다. 발전의 수치는 계속해서 올라가지만 빈부의 격차는 점차 커지고 빈민층의 사회적 지위 또한 계속해서 낮아짐으로써 그들의 권리까지 보장되지 못하는 상황으로 이어진다. 그는 이러한 공리주의적 피해를 최소화하기 위해서는 헌법에 보장된 생존의 권리와 자유의 권리가 철저하게 지켜질 수 있는 제도적 장치를 보장해야 한다고 주장한다.

두 번째 원칙은 ① 최소의 수혜자에게 최대의 이익을 보장하고 ② 불평등의 원인이 모든 사람에게 균등하게 열려 있어야 한다는 차등의 원칙이다.

롤스는 이 두 가지 원칙 중 자유 우선성의 원칙이 가장 우선시되어야 하면 차등의 원칙 안에서는 최소 수혜자에게 최대 이익이 돌아가도록 배치하는 ① 수혜의 원칙보다 불평등에 대한 공정한 기회균등을 요청하는 ② 기회균등의 원칙이 우선시되어야 한다고 주장한다. 이를 조금 더 원칙적인 수준에서 해석하면 부유층이 이익을 얻는 것이 정당화될 때는 그것이 소외계층의 이익에 기여할 수 있을 때뿐이며 따라서 이는 흔히 노블리스 오블리제라고 불리는 부유층의 사회적 기여에 대한 윤리적인 의무를 강조하는 견해로 해석되곤 한다.

롤스는 이러한 원칙의 실현은 가장 못사는 사람이라 할지라도 어느 정도의 물리적 안락을 보장받을 수 있기 때문에 사람들이 위험부담을 기피하는 태도를 가지고 있다면 이에 동의할 것이라는 게임이론의 틀을 통해서 설명한다. 즉 앞으로의 생활수준이 어떻게 될지 알 수 없는 원초적 상태에서 위험 기피적인 사람이라면 이러한 안전망을 환영하는 것이 합리적 선택이라는 것이 롤스의 설명이며 이는 불평등을 최소화할 수 있는 분배가 이루어져야 한다는 것이 아니라 정의를 보장하는 것이 평등의 크기가 아닌 절차적 정의를 통해서라는 점을 강조하는 것이다. 즉 최소의 수혜자라도 최대의 이익을 얻는 이상 불평등은 사라지지 않을 것이다. 다만 최소 수혜자의 최대의 이익이 얻어지는 절차가 소외계층의 피해를 통해서가 아니라, 소외계층과의 동반적 이익이 전제된 것이라면 이는 윤리적으로 정의를 실현한 것으로 볼 수 있다는 것이다.

이러한 롤스의 정의원칙을 정책화하기 위해서는 제2원칙인 차등의 원칙이 중요하다. 실제로 이러한 최소 극대화의 원칙은 진보주의의 이념적 기초가 되어 가난한 사람들을 위한 사회복지제도를 설계하는 데 많은 영향을 미치기도 했다.

그러나 롤스가 말하는 정의의 원칙은 정의로운 사회를 규정하는 원리이지, 정의 자체가 그러하다는 것을 말하는 것은 아니다. 공정한 절차를 통해 사회는 정의로운 사회가 될 수 있지만 정의로운 사회가 모든 사람이 추구하는 이상적인 사회의 정의는 될 수 없는 까닭이다. 때문에 롤스의 정의론은 이상적 정의론이 아닌 현실적 정의론이라고 보는 것이 타당하다.

이처럼 롤스는 자유방임주의의 윤리관과 공리론 중심의 윤리관에 저항하여 정의가 상실된 20세기에 정의의 개념을 복원하고자 노력했다. 그가 도달한 결론은 정치적인 입장으로 보면 중도적이고 실천적인 태도의 측면에서도 소극적인 까닭에 많은 비판의 대상이 되기도 한다. 특히 급진적 개혁주의자들이나 롤스의 『정의론』(1977) 이후에 등장한 공동체주의자들에 의해 자유방임주의의 논리적 방어에 불과하다는 비판이 그 핵심을 이루고 있다. 다시 말하면 결국 이는 파이의 크기는 키우되 분배의 비율은 유지하겠다는 자유주의적 발상과 다를 바 없으며, 설령 그 선의를 충분히 인정한다 하더라도 현실적으로 자본주의와 정치적 권력의 결합은 롤스적 정의를 이름뿐인 것으로 전락시키는 결과를 낳을 수밖에 없다는 비판으로 이어지는 것이다. 그럼에도 불구하고 롤스는 오늘날의 자유민주주의사회가 수정자본주의와 사회복지정책의 도입 속에서 어떠한 현실적 선택을 할 수 있는지에 대한 절차적 모델을 정립했다는 점에서 20세기에 주목해야 할 철학자 중의 한 사람으로 기억될 것이다.

6. 선원들의 살인은 정당한가?

미국 하버드 대학교의 교수인 마이클 샌델의 『정의란 무엇인가』에서는 도덕적 딜레마의 상황을 다수 제시하면서 우리에게 그에 대한 합리적인 답변을 요구하고 있다. 여러 가지의 사건에 대해 즉흥적으로 답하다 보면 앞선 물음에 대한 답변의 관점이 다음 물음에서는 그대로 유지하기 힘든 경우에 직면하게 된다. 그것은 옳고 그름 또는 이익과 배려 등의 여러 기준이 혼

돈의 상태로 존재하기 때문이거나 사건의 '팩트'에 대한 판단이 부정확하기 때문인 경우가 많다.

어찌됐든 이 책의 많은 질문들은 정의에 대한 개인들의 접근이 관점에 따라 명백히 달라진다는 것과 그 주장에 대한 다양한 반론의 가능성을 보여준다. 때문에 각자의 입장을 정리해 발표함에 있어서 몇 가지의 근거를 분명히 세움과 동시에 반론에 대한 고려도 해야 할 것이다. 사건전달을 분명히 하기 위해 일단 그대로 인용한다.

자료

1884년 여름, 영국 선원 네 명이 작은 구명보트에 올라탄 채 육지에서 1,600킬로미터 떨어진 남대서양을 표류했다. 이들이 타고 있던 미뇨네트 호는 폭풍에 떠내려갔고, 구명보트에는 달랑 순무 통조림 캔 두 개뿐, 마실 물도 없었다. 토머스 더들리가 선장이었고, 에드윈 스티븐슨은 일등 항해사, 에드먼드 브룩스는 일반 선원이었다. 신문은 이들이 "모두 훌륭한 사람들"이었다고 전했다.

네 번째 승무원은 잡무를 보던 열일곱 살 남자 아이 리처드 파커였다. 고아인 파커가 긴 항해를 떠나기는 이번이 처음이었다. 파커는 친구들의 충고도 무시한 채 "젊은이의 야심을 품고 희망에 가득 차" 항해에 참가했고, 이번 여행으로 남자다워질 수 있으리라 생각했다. 안타깝게도 현실은 그렇지가 못했다.

구명보트를 타고 표류하던 네 선원은 수평선을 바라보며 지나가던 배가 구조해주기를 기다렸다. 처음 사흘 동안은 순무를 정해놓은 양만큼 조금씩 먹었다. 나흘 때 되던 날은 바다거북을 한 마리 잡았다. 이들은 바다거북과 남은 순무로 연명하며 며칠을 더 버텼다. 그리고 여드레째 되던 날, 음식이 바닥났다.

이때까지 파커는 구명보트 구석에 누워 있었다. 다른 사람의 충고를 무시하고 바닷물을 마시다가 병이 난 탓이다. 곧 죽을 것만 같았다. 고통스럽게 하루하루를 보내다가 19일째 되던 날, 선장 더들리는 제비뽑기를 해서, 다른 사람을 위해 희생할 사람을 정하자고 했다. 하지만 브룩스가 거부하는 바람에 실행에 옮기지 못했다.

다음 날도 배는 보이지 않았다. 더들리는 브룩스에게 고개를 돌리라고 말하고는 스티븐슨에게 파커가 희생되어야 한다고 몸짓으로 전했다. 더들리는 기도를 올리고, 파커에게 때가 왔다고 말한 뒤 주머니칼로 파커의 경정맥 급소를 찔렀다. 양심상 그 섬뜩한 하사품을 거절하던 브룩스도 나중에는 자기 몫을 받았다. 나흘간 세 남자는 남자 아이의 살과 피로 연명했다.

그리고 구조의 손길이 나타났다. 더들리는 일기에 그 일을 놀라우리만치 완곡하게 기록했다. "24일째 되던 날, 아침 식사를 하고 있을 때" 드디어 배가 나타났다고. 생존자 세 명이 모두 구조되었다. 이들은 영국으로 돌아가자마자 체포되어 재판을 받았다. 브룩스는 검찰 측 증인으로 출석했고, 더들리와 스티븐슨은 재판에 회부되었다. 이들은 파커를 죽여 그를 먹은 사실을 순순히 자백했다. 그리고 어쩔 수 없었다고 주장했다.

당신이 판사라고 해보자. 어떤 판결을 내리겠는가? 상황을 단순화하기 위해, 법에 관한 문제를 제쳐두고, 당신은 그 남자 아이를 죽인 짓이 도덕적으로 허용될 수 있는 행위인가를 결정해야 한다고 가정하자.

피고 측은 그 끔찍한 상황에서는 한 사람을 죽여 세 사람을 살릴 수밖에 없었다고 주장했다. 누군가를 죽여서 먹지 않으면, 네 사람 모두 죽을 판이다. 나약하고 병에 걸린 파커가 적절한 후보였다. 어쨌거나 곧 죽을 테니까. 그리고 더들리나 스티븐슨과 달리, 파커는 부양가족이 없었다. 그가 죽는다고 해서 살길이 막막해질 사람도 슬퍼할 아내나 아이도 없었다.

이 주장은 적어도 두 가지 반박에 맞닥뜨릴 수 있다. 우선, 전체적으로 볼 때, 파커를 죽여서 얻은 이익이 희생보다 정말로 더 컸는가를 물을 수 있다. 살아난 사람의 숫자나 생존자와 가족의 기쁨을 고려한다 해도, 그러한 죽음을 허용한다면 사회 전체로 보아 나쁜 결과를 초래할 수 있다. 말하자면, 살인에 반대하는 기준이 약화되거나, 법을 멋대로 해석하려는 성향이 늘어나거나, 다른 선장들이 배에서 일할 사환을 구하기가 어려워질 수 있다.

둘째, 그 이익이 희생이라는 비용보다 더 크다 해도, 무방비 상태의 남자 아이를 죽여서 먹는 행위는 사회의 비용이나 이익을 계산하기에 앞서 용납될 수 없다는 정서가 있지 않은가? 상대의 나약함을 빌미로 본인의 동의도 없이 목숨을 빼앗는 식으로 인간을 이용하다니, 그런 행위는 아무리 다른 사람에게 이익이 돌아간다 해도 잘못이 아닌가?

더들리와 스티븐슨의 행위에 치를 떤 사람에게는 첫 번째 반박이 미온적인 불평으로 보일 것이다. 이 반박은 도덕은 비용과 이익을 저울질하는 데 달렸다는 공리주의의 단정을 받아들여, 사회적 결과를 모두 합산한다.

만약 그 남자 아이를 죽인 행위가 도덕적 분노를 살 만한 행위라면, 두 번째 반박이 더 적절하다. 이 반박은 옳은 행위를 한다는 것은 단지 결과를, 즉 비용과 이익을 계산하는 문제가 아니라고 주장한다. 도덕은 그 이상을, 즉 사람들이 서로를 대하는 적절한 방식을 내포한다.

구명보트 사건을 바라보는 두 사고방식은 정의를 이해하는 두 가지 상반된 시각을 보여준다. 하나는 어떤 행위의 도덕성은 전적으로 그것이 초래하는 결과에 달렸다는 시각이다. 모든 것을 고려해 최선의 상황을 도출하는 행위가 옳다. 또 하나는 도덕적으로 볼 때, 결과가 전부는 아니라는 시각이다. 의무와 권리에는 사회적 결과를 떠나 존중해야 하는 것들이 있다.

구명보트 사건과 더불어 (그보다는 덜 극단적이지만) 우리가 흔히 마주치는 여러 딜레마를 해결하려면, 도덕정치철학의 중요한 문제 몇 가지를 살펴보아야 한다. 도덕은 목숨의 숫자를 세고, 비용과 이익을 저울질하는 문제인가? 아니면 특정한 도덕적 의무와 인권은 워낙 기본적인 덕목이라 그러한 계산을 떠나 별도로 존재하는가? 그리고 특정 권리가 그렇게 기본적이라면, 타고난 권리든, 신성한 권리든, 빼앗을 수 없는 권리든, 절대적 권리든 간에, 그것을 어떻게 알아볼 수 있는가? 더불어 그것은 왜 기본 권리인가?

– 마이클 샌델, 『정의란 무엇인가』

일단 사건은 간단하다. 극한의 상황에서 살아남기 위해 선원들은 살인을 했다. 한 명의 희생이 세 명의 생명을 살려냈다는 점을 강조한다면 공리주의적인 접근방식이 될 것이다. 그러나 이미 읽은 바와 같이 한 사람의 생명을 수량화할 수 있는가의 문제와 개인의 존엄성이 문제가 된다고 본다면 자유론의 입장에서 접근하는 것이다. 그러면 쟁점은 이뿐인가? 그들이 살인을 하지 않았다면 어떻게 되었을까? 바다거북을 잡은 것처럼 운이 좋았다면 또 다른 식량을 구했을 수도 있고, 그대로 죽었을 수도 있다. 불확실한 상황에 대한 불안과 상대적으로 확실한 예측이 가능한 선택 중 어느 것이 더 합리적일까? 또 브룩스는 다른 두 명의 선원들과 다른 판결을 받아야 할까? 동조하지 않았지만 그도 결국 인육으로 생명을 연장했다면 그가 다른 두 명의 선원들과 달리 증언을 했다고 해서 그 행위가 정당화될 수 있을까? 쟁점은 또 만들 수 있다. 사회를 구성해 살고 있는 우리에게 살인이 혼란과 공포를 가져오는 악행임은 분명하다. 그러나 살인의 기준은 무엇일까? 사형 집행의 경우 합법적인 살인이라는 이름으로 인간의 생명에 대한 권리를 법이라는 기준으로 재단하는 행위로 볼 수 있으며, 전쟁은 살인의 행위가 영웅의 행위로 당연시되는 경우이기도 하다. 그렇다면 살인은 상황에 따라 다르게 적용되어야 하는 것인지도 문제 삼을 수 있다. 쟁점은 다양하다. '팩트'에 대한 분석과 어느 부분에 집중할 것인가에 따라 다양한 의견이 가능하다.

가. 발표 연습하기

이제 발표를 위한 근거와 주장을 세워보자. 선원들은 살인자인가? 그들의 행위는 정당한가?

주장_____

_____

_____

_____

_____

_____

근거_____

_____

_____

_____

_____

_____

결론_____

_____

_____

_____

_____

_____

구명보트 탈출하기

이번 토론 논제는 첫 번째보다 조금 가혹할 수 있다. 내가 어떻게 하면 살수 있는지가 아니라, 누구를 삶의 경계 바깥으로 내몰 것인가의 문제이기 때문이다.

대양을 항해하는 유람선이 있다. 예기치 않은 풍랑으로 인해 항로를 잃고 배는 난파되었다. 기울어가는 배에서 탈출한 사람들이 한 대의 구명보트에 올라탔다. 다행스럽다 싶었지만 이상하게도 배가 가라앉을 듯 불안했다. 구명보트의 정원은 7명인데 현재 승선한 사람의 수가 8명이었기 때문이다. 이 상태로는 보트에 탄 모든 사람들의 목숨을 장담할 수 없다. 안타깝게도 우리는 누구 한 사람의 목숨을 선택해야 하고, 그의 삶과 죽음은 우연에 맡겨야만 할 상황이다.

물론 이런 상황이 있어서는 안 될 것이다. 가정이지만 가혹하기 때문이다. 누군가의 죽음을 누가 어떤 권리로 결정할 수 있겠는가. 하지만 이 상태로는 누구도 살아남지 못한다. 보트에 탄 사람들은 어떤 결정을 해야 하는가? 누구를 선택해야 하는가? 그 이유는 무엇인가?

보트에는 아래와 같이 8명의 사람이 타고 있다.

목사, 재벌 회장, 유람선 선장, 퇴직 교수, 간호원,
중상 입은 경찰관, 강도 살인 전과자, 씨름선수

가. 토론 전 생각하기

영화 〈다크 나이트〉에서 악당 조커는 정의의 사도 배트맨과 사람들에게 딜레마와 같은 문제를 낸다. 두 개의 배가 바다 위에 떠 있다. 그 중 한 배는 범죄자들을 이송하는 중이고, 나머지 한 배는 일반 시민들이 타고 있는 유람선이다. 각각의 배에는 상대방의 배를 폭파할 수 있는 리모컨이 있다. 둘 중 한 배는 침몰해야 한다. 그렇지 않을 경우 두 개의 배 모두 폭파된다. 각각의 배에는 생명을 건 난상 토론이 벌어진다. 말이 좋아 토론이지 때론 절규에 가깝다. 정의의 사도는 아무런 결정을 내리지 못하고 있다. 우리가 바로 이 상황에 놓여 있다면 우리는 어떤 배를 폭파해야 할까?

이 문제를 처음 접했을 때 맨 처음 맞닥뜨리는 당혹감은 문제를 해결할 명확한 흑백의 이분법이 존재하기 어렵다는 사실의 확인이다. 만화영화와 이야기 등을 통해 알고 있었던 선악의 구분은 무의미해진다. 사실 현실을 살아가는 우리 모두가 선이면서 동시에 악이기 때문이다. 우리의 일상적 사고는 명백한 딜레마에 부딪히게 된다. 많은 철학자들이 윤리적 딜레마를 다루는 이유가 여기에 있다. 윤리적인 극한 상황에서 인간의 본성과 인간이 추구해야 할 가치의 선후 경중에 대해 도출하고자 하는 것이 바로 많은 철학자가 이러한 딜레마에 집착하는 이유다. 당연히 해결책은 쉽게 찾아지지 않을 것이다. 문제는 이를 통해서 우리가 추구해야 할 가치에 대한 나름의 윤리적 시각을 정립할 수 있는가 하는 것이다. 그리고 각자의 논리적 근거를 통해 자신의 주장을 합리적으로 제시할 수 있는가 하는 것이 우리의 과제다. 약간의 도움이 필요하다.

철학자들은 이러한 윤리적 딜레마에 접근하기 위해 흔히 세 가지의 관점을 사용한다.

첫째는 그 문제를 겪고 있는 집단의 공동이익을 보다 더 증진시키는 방향을 추구해야 한다는 관점이다. 이 관점은 다시 소극적 입장과 적극적 입장으로 나누어 생각해볼 수 있다. 이 문제의 사례의 경우 소극적 입장에서는 죽음이란 누구나 다 두려운 것이고 나머지 7명을 위해 희생하겠다는 고귀한 명분에도 불구하고 스스로 죽음을 선택하는 것은 대단히 두려운 일일 수밖에 없다. 따라서 가장 죽음의 고통을 적게 느낄 수 있는 사람이 적합한 대상자가 된다. 그런 관점에서 각 개인을 점검해보면 죽음에 대한 공포도 별로 없고 스스로 목숨을 던질 수 있는 위대한 희생정신도 갖추고 있을 확률이 높으며 무엇보다도 고귀한 희생 끝에 천국에 갈 수 있다는 믿음을 가진 사람, 즉 목사가 가장 바람직한 선택이 된다. 또한 적극적 입장에서 보자면 살아남았을 경우 개개인의 가치를 최대한 살릴 수 있으며 앞으로 인생 활동 가능성이 많은 사람은 제외되어야 할 것이다. 그러다 보면 정년퇴임한 교수가 남을 것이다. 인생을 정리할 단계에 와 있는 은퇴한 노교수는 적극적 공리론에 따라 사회 전체를 생각하는 관점에서 고귀한 희생을 감수해야 할 것이다.

둘째는 다수와 소수의 관계 속에서 해명되는 평등, 공평을 중시하는 관점이다. 이 관점은 공평을 중시하는 입장과 공정을 중시하는 입장으로 나뉠 수 있다. 공평의 관점에서 보자면 지금까지 생애에서 가장 많은 부와 행복과 명예와 권위를 누린 사람이 그렇지 못한 사람보다 우선적으로 희생을 감수해야 할 것이다. 이에 따라 고통과 추위와 배고픔을 많이 겪은 순서부터 제외해보면 맨 마지막에 남는 재벌 회장이 고귀한 죽음을 선택할 수도 있다. 공정의 관점에서 바라볼 때는 지금까지 사회에서 다른 사람들에게 가장 많은 해악을 끼친 사람이 희생해야 한다는 생각을 할 수 있는데, 이런 기준으로 보면 전과자가 사회에 끼친 죄 값을 대신하여 죽을 수도 있다. 물론 이는 이중 처벌이라는 반론의 여지가 있다. 하지만 이 경우가 아닌 다른 경우들도 마찬가지로 관점에 따라 충분히 반론의 소지가 있다는 것을 이미 알 것이다.

셋째는 질서를 중시하는 관점인데 이 또한 현실적 질서와 이상적 질서, 두 가지 측면에서 나누어 생각해 볼 수 있다. 현실적 질서론에 따르면 지금 당장의 현실, 즉 배가 난파된 현실에 책임을 져야 할 사람이 그 책임을 지는 것이 마땅하다. 따라서 이토록 위험한 지경에 이르도록 한 직무상의 책임을 지고 선장이 희생을 감수해야 적합한 선택이 된다. 마지막으로 이상적 질서의 관점에서 보자면 앞으로 나머지 7명이 무사히 육지에 도착하기 위해서 다른 사람들에게 피해를 줄 가능성이 가장 높은 사람을 선택하는 방법이 있다. 따라서 다음 국면에서 질서를 어지럽게 할지도 모를 사람, 즉 누군가의 신세를 질 수밖에 없는 부상을 입은 경찰관이나 누군가 내리더라도 몸무게 등으로 인해 위험을 감수해야 될지도 모를 씨름선수가 희생이 대상이 될 것이다.

그러나 이 모든 윤리적 가정 역시도 현실에서는 그 하나도 적용되기 어려울 것이다. 그렇다고 제비뽑기를 하자면 어떠한 기준에 의해서도 선택되지 않은 간호사의 경우에는 억울한 생각이 들 것이기 때문에 이 역시도 합리적인 선택이라고 보기 어렵다. 또한 무작위적인 선정은 각 개인에게는 어떠한 경우에도 부당하기 때문에 옳지 않다. 이처럼 윤리적인 문제를 비윤리적으로 해결하는 것은 또 다른 윤리적 갈등 상황을 인간에게 제공할 뿐이다.

때로 이런 문제들은 경제적인 이익이 걸린 상황으로 직결되기도 하고 사회적 자원의 분배 문제에도 걸쳐 있다. 그러다 보니 때론 정치적인 선택의 문제로 치환되기도 한다. 그만큼 우리의 삶에서 빈번하게 마주하는 상황이다. 사회 구성원인 한 개인으로서 우리는 어떤 선택을 해야 할까? 그리고 어떤 선택이 가장 정의롭거나 합리적일까?

먼저 원활한 토론을 위해 개인적으로 1위부터 3위까지 순위를 결정해 보자

	보트에서 내릴 사람	이유
1순위		
2순위		
3순위		

1. 여러분을 지독하게 괴롭혔던 사람이 늙고 병들어 어떠한 저항도 할 수 없는 상태로 당신을 마주하고 있다. 이 사람에게 하고 싶은 말을 써보자.

_____

_____

_____

_____

_____

_____

_____

_____

_____

_____

_____

_____

_____

_____

_____

_____

_____

_____

_____

_____

_____

_____

2. 세계 최고의 부자들은 인류의 문제를 해결하려 기부하는 사람들이 많이 있다. 자신이 지금 세계 최고 부자 가운데 한 사람이라면 어디에 얼마를 기부할지에 대해서 써보자.

_____

_____

_____

_____

_____

_____

_____

_____

3. 여러분은 지금 누군가에게 감사의 표시로 선물을 해야 한다. 현금이나 상품권 등이 아니라 그 선물을 선택한 이유에 대해서 써보자.

_____

_____

_____

_____

_____

_____

_____

_____

4. 자신이 가장 행복한 순간을 1위에서 10위까지 써 보자

_____

_____

_____

_____

_____

_____

_____

_____

5. 여러분은 돈을 많이 주는 직장과 보람을 느끼는 직장 사이에서 고민하는 친구에게 보람을 느끼는 직장을 선택하라고 충고해주었다. 5년 후 지금 당신은 그 친구에게 원망을 듣고 있다. 어떻게 그를 다시 설득할 것인지 써보자.

_____

_____

_____

_____

_____

_____

_____

_____

▌저자 소개

김경태　광주보건대학교 (전)교수·(현)총장

최창근　전남대학교 호남학연구원 HK연구교수

최윤경　전남대학교 교육혁신본부 강사

글쓰기와 의사소통

2024년 2월 28일 초판 1쇄 펴냄

지은이 김경태·최창근·최윤경
펴낸이 김흥국
펴낸곳 보고사

등록 1990년 12월 13일 제6-0429호
주소 경기도 파주시 회동길 337-15 보고사
전화 031-955-9797(대표) 02-922-5120~1(편집), 02-922-2246(영업)
팩스 02)922-6990
메일 kanapub3@naver.com
http://www.bogosabooks.co.kr

지역총판 우리문화사(광주)
062) 261-9633

ISBN 979-11-6587-680-7 93810

정가 17,000원